MW00332616

Nueva Edición

Socios

Curso de español orientado al mundo del trabajo

Libro del alumno

1

Marisa González
Felipe Martín
Conchi Rodrigo
Elena Verdía

Socios 1
Libro del alumno

Autores
Marisa González, Felipe Martín, Conchi Rodrigo, Elena Verdía

Asesoría y revisión
Antonio Barquero, Sandra Becerril, Francisco González, Virtudes González

Coordinación editorial y redacción
Eduard Sancho, Jaime Corpas

Diseño y dirección de arte
Nora Grosse, Enric Jardí

Maquetación
Pablo Luces

Ilustración
Joma, Daniel Jiménez

Grabación
CYO. **Locutores** Cristina Carrasco (España), Susana Castaño (Argentina), César Chamorro (México), Susana Damas (España), Reinaldo De Abreu (Venezuela), José Luis Fornés (España), Cristina García (España), Jonathan López (España), Osvaldo López (España), Bruno Menéndez (España), Jorge Peña (España)

Fotografías
© Jorge Aragonés, excepto: **Cubierta** Charlie Edwards/Digital Vision/Getty Images, Gregor Schuster/Getty Images; **Unidad 1** pág. 11 Wendy Nero/Dreamstime, Marie-Jose Wolff, Frank Kalero, Abdone/Dreamstime, Jaime Corpas; pág. 12 Dawn Hudson/Dreamstime, Kurt/Dreamstime, Daniel Loncarevic/Dreamstime; pág. 14 Dreamstime, Kati Neudert/Dreamstime, Yuri Arcurs/Dreamstime, Kevin Chesson/Dreamstime, David Davis/Dreamstime, Diego Cervo/Dreamstime, Dreamstime, Massimo Talamini/Dreamstime, Andrés Rodríguez/Dreamstime, Hitesh Brahmbhatt/Dreamstime; pág. 18 **Unidad 2** Dana Menussi/Stone+/Getty Images; pág. 23 Creativ Collection Verlag GmbH; **Unidad 3** pág. 28 Gregor Schuster/Getty Images; pág. 29 Wolf Friedman, Iva Villi, Shiyali, Sgame, João Estêvão A. de Freitas, Yemeki; pág. 30 Alex Bramwell, Naomi Hasegawa, Ticky, Pierdelune, Iner Bog, Natalia Bratslavsky, Per Johansson, Peter Bray, Frank Kalero; pág. 34 Cris Watk, Pat Herman; pág. 35 Albo/Fotolia, Eric Martinez/Fotolia, alxm/Fotolia, Melissa King/Fotolia, Benis Arapovic/Fotolia, Georgios Alexandris; **Unidad 4** pág. 36 Emmanuel Faure/Taxi/Getty Images; pág. 41 Sean Nel/Dreamstime, Steve Luker/Dreamstime, Brokesr/Fotolia; **Unidad 5** pág. 46 Anne Ackermann/Taxi/Getty Images; **Unidad 6** pág. 56 Christian Hoehn/Taxi/Getty Images; pág. 57 Dreamstime, Andriy Rovenko/Fotolia, Roberto Anguita/Fotolia, Dreamstime, Jacques Kloppers/Dreamstime, Eleonora Kolomiyets/Fotolia; pág. 59 Christy Thompson/Stockxpert; pág. 60 Martin Simonis, Jaime Corpas; pág. 62 Ikea, Andrés Rodríguez/Dreamstime, David Asch/Dreamstime, Dreamstime, Glenn Jenkinson/Dreamstime, Franz Pfluegl/Dreamstime, Roman Milert/Fotolia; pág. 64 Dreamstime, Mehmet Alci/Dreamstime; **Unidad 7** pág. 69 Eastwest Imaging/Dreamstime, Mehmet Alci/Dreamstime, Andrés Rodríguez/Dreamstime; pág. 70 Daniela Spyropoulou/Dreamstime; pág. 71 Dragan Trifunovic/Fotolia; **Unidad 8** pág. 76 David Lees/Taxi/Getty Images; pág. 78 Dreamstime, Andrés Rodríguez/Dreamstime, Yuri Arcurs/Dreamstime; pág. 79 Adam Booth/Dreamstime, Josep Ardiaca Rodríguez/Dreamstime, Jan Couver/Dreamstime; pág. 82 Dreamstime, Lidian Neeleman/Dreamstime, Jose Antonio Nicoli/Dreamstime, Pavel Losevsky/Dreamstime; pág. 83 Lucian Coman/Dreamstime, Carl Durocher/Dreamstime; pág. 85 Serghei Starus/Dreamstime, Vyara Kaykova/Dreamstime, Dreamstime, Ben Renard-wiart/Dreamstime, Violet Star/Dreamstime, Dreamstime; **Unidad 9** pág. 86 Reza Estakhrian/Stone/Getty Images; pág. 87 Hannu Liivaar/Dreamstime, Melissa King/Fotolia; pág. 89 Creativ Collection Verlag GmbH, Andres Rodriguez/Dreamstime, Dreamstime, Hannu Liivaar/Dreamstime; pág. 90 Dreamstime; **Unidad 10** pág. 96 Paul Vozdic/The Image Bank/Getty Images; pág. 97 Ioana Greco/Dreamstime; pág. 99 Eric Pemper/Dreamstime; pág. 101 Daniel Gustavsson/Dreamstime, Sean Nel/Dreamstime, Andrés Rodríguez/Dreamstime, Eric Pemper/Dreamstime; pág. 102 Fred Goldstein/Dreamstime, Silvia Bukovac/Dreamstime; **Unidad 11** pág. 108 Richard Kolker/Photonica/Getty Images; pág. 109 Lidian Neeleman/Dreamstime, Jason Stitt/Dreamstime, Paul Prescott/Dreamstime, Elena Platonova/Dreamstime; pág. 111 Radu Razvan/Dreamstime, Sean Nel/Dreamstime, Kelly Young/Dreamstime; pág. 113 Dreamstime; **Unidad 12** pág. 118 Zia Soleil/Iconica/Getty Images; pág. 119 Justin Sullivan/Getty Images, Jeff J. Mitchell/Getty Images, INDITEX, Carolina Herrera New York Ltd.; pág. 121 Mehmet Alci/Dreamstime, Andrés Rodríguez/Dreamstime; pág. 122 Galina Barskaya/Dreamstime, Rebecca Abell/Dreamstime; **Y además...** pág. 127 Franz Pfluegl/Dreamstime; pág. 128 Alejandro Rivera/Dreamstime, Oscar Williams/Dreamstime, Jose Gil/Dreamstime, Richard Gunion/Dreamstime, Chris Anderson/Dreamstime, Pavalache Stelian/Dreamstime; pág. 129 Dreamstime, Rob Marmion/Dreamstime, Nick Stubbs/Dreamstime; págs. 130-131 CAMPER; pág. 133 CODORNÍU, S.A., Pedro Ferreira/Dreamstime; pág. 134 Andrés Rodríguez/Dreamstime; pág. 135 Elton Melo, Philip Choi; págs. 136-137 Sandra Becerril; pág. 138 Milos Jokic/Dreamstime; pág. 140 Tracy Hebden/Dreamstime, Dreamstime; pág. 141 Darren Hester/Dreamstime, Intermón Oxfam; pág. 142 Liv Friis-Larsen/Dreamstime, Alex Brosa/Dreamstime; pág. 143 Cecilia Lim/Dreamstime, Tad Denson/Dreamstime; pág. 144 Marko Kerkez/Dreamstime, Galyna Andrushko/Dreamstime; pág. 145 Corporación de Turismo de Venezuela/Nacho Calonge, Nicole Andersen/Dreamstime; pág. 146 Og-vision/Dreamstime

Agradecimientos
Parsida Aboud (Camper), Rocío Díaz (Inditex), Erika Janna (Hotel Santa Clara), Ana Oliveira (Carolina Herrera New York), Víctor Sánchez (Codorníu, S.A.)

Queda prohibida cualquier forma de reproducción, distribución, comunicación pública y transformación de esta obra sin contar con la autorización de los titulares de la propiedad intelectual. La infracción de los derechos mencionados puede ser constitutiva de delito contra la propiedad intelectual (arts. 270 y ss. Código Penal).

© Los autores y Difusión, S.L. Barcelona 2007

Reimpresión: enero 2012
ISBN: 978-84-8443-415-3
Depósito Legal: B-1837-2012
Impreso en España por Cayfosa Impresia Ibérica

difusión
Centro de Investigación y Publicaciones de Idiomas, S.L

C/ Trafalgar, 10, entlo. 1ª
08010 Barcelona
Tel. (+34) 93 268 03 00
Fax (+34) 93 310 33 40
editorial@difusion.com

www.difusion.com

Presentación

Socios es un curso en dos niveles especialmente dirigido a estudiantes que necesitan el español para desenvolverse en ámbitos laborales. Tiene el doble objetivo de iniciar al alumno en el español y de introducirlo en las peculiaridades de la lengua que se usa en el mundo del trabajo. Esta **nueva edición** responde al éxito que ha tenido el manual desde su publicación y es el resultado de un exhaustivo proceso de evaluación de los contenidos, llevado a cabo por sus autores y por un grupo de expertos de diferentes ámbitos del mundo del trabajo: profesores de escuelas de hostelería, de cursos de español para el mundo laboral, de turismo, de formación profesional, etc. Sus comentarios, propuestas y sugerencias han sido claves en el proceso de revisión.

Esta **nueva edición** incorpora una serie de cambios que pueden resumirse en seis grandes aspectos.

- Los asesores y los autores han llevado a cabo una exhaustiva revisión didáctica de todas las actividades del manual (tanto del *Libro del alumno* como del *Cuaderno de ejercicios*) con el propósito de mejorar aquellas que no satisfacían por completo a profesores y/o a alumnos. Se han modificado o clarificado algunas mecánicas, se han incluido nuevas ayudas lingüísticas o comentarios adicionales de tipo cultural, se han sustituido algunas de las actividades, etc.

- Hemos acercado el manual a las exigencias del **Marco común europeo de referencia**, tanto desde un punto de vista metodológico como de contenido. También se han destacado con un icono especial todas aquellas actividades susceptibles de ser incorporadas en el **Portfolio europeo de las lenguas**.

- Se ha llevado a cabo una completa renovación gráfica de todo el manual de modo que resulte más actual, más claro y más atractivo en su presentación.

- Se ha establecido una nueva concepción de la gramática: más completa y rigurosa a la vez que más clara, más ejemplificada y más centrada en el significado, con ilustraciones que permiten apoyar y facilitar la comprensión de los aspectos gramaticales.

- Hemos incluido un nuevo apartado (Y además...) con textos y con actividades adicionales para cada unidad. El objetivo de esta sección es aportar un corpus textual complementario sobre aspectos relacionados con la unidad.

- Para favorecer la autonomía del aprendiz, hemos incluido tanto en el *Libro del alumno* como en el *Cuaderno de ejercicios* el CD con las grabaciones del material auditivo así como las transcripciones.

Tenemos pleno convencimiento de que con esta **nueva edición** de **Socios**, la rentabilidad pedagógica del manual será mucho mayor tanto para profesores como para alumnos.

¿Cómo es **Socios**?

Esta **nueva edición** consta de 12 unidades que presentan la siguiente estructura.

LAS UNIDADES

Cada una de las unidades empieza con una **portadilla** en la que se detalla la tarea final que se va a realizar y en la que aparecen descritos los contenidos léxicos, gramaticales y comunicativos que se van a aprender para poder llevarla a cabo.

A continuación, se encuentran las **actividades** de la unidad, que se pueden clasificar en dos grupos: actividades de presentación, concebidas para ayudar a entender cómo funciona el español, y actividades de producción con apoyo, destinadas a asegurar que el alumno sea capaz de realizar la tarea final.

Las actividades de presentación proporcionan mucha información sobre lo que se va a hacer a lo largo de la unidad. Son unas tres o cuatro actividades que incluyen numerosas muestras de lengua, bien a través de textos orales, bien a través de textos escritos, que sirven para que el alumno entre en contacto con un *input* lingüístico variado. En concreto, se ha hecho especial hincapié en que la primera actividad sea especialmente motivadora, fácil de realizar y representativa de los contenidos y del léxico que se va a trabajar y de los contextos y de las situaciones que van a aparecer en la unidad.

Las actividades de práctica comunicativa con apoyo proporcionan al alumno oportunidades para practicar, de forma guiada, los contenidos que van a necesitar para realizar la tarea. Son actividades de tipología muy variada pero siempre 100% comunicativas. Se ha intentado huir de las prácticas controladas en las que solo se presta atención a la forma descuidando la comunicación y la negociación.

Una vez que los alumnos han practicado los contenidos presentados, están preparados para realizar la **tarea final**, en la que las interacciones están mucho menos pautadas, se integran diferentas destrezas, y el alumno encuentra una mayor libertad para usar los recursos que ha adquirido a lo largo de las actividades previas. La tarea sigue una estructura lineal con una secuencia predeterminada: cada actividad depende de la anterior.

El libro se completa con las siguientes secciones:

Y ADEMÁS...

Este apartado incluye una selección de textos y de actividades que complementan las unidades. El objetivo de esta sección es aportar un corpus textual adicional sobre aspectos relacionados con cada unidad.

GRAMÁTICA

En este apartado se incluyen todos los contenidos gramaticales y funcionales de las unidades. A partir de unas explicaciones claras y precisas, de esquemas y de numerosos ejemplos, el estudiante tiene a su alcance todas las herramientas necesarias para descubrir el funcionamiento de la lengua que se presenta en cada unidad. En algunos casos, se ha incluido también una serie de pequeñas viñetas que ayudan a ejemplificar y a contextualizar algunos de los aspectos gramaticales tratados.

TRANSCRIPCIONES

El último bloque del libro lo forman las transcripciones del material auditivo de las unidades.

El **Libro del alumno** va acompañado del **Cuaderno de ejercicios**, que amplía y refuerza los contenidos presentados en cada unidad. En esta nueva edición, ambos libros incluyen un CD con las grabaciones de todo el material auditivo. Es también un componente indispensable del método el **Libro del profesor**, que da las pautas generales para la utilización del manual, explica cómo poner en práctica las actividades y da ideas alternativas de uso. Como novedad, incluye la Guía didáctica del DVD *Socios y colegas*.

Este icono señala las actividades que pueden ser incorporadas al Portfolio europeo de las lenguas.

Este icono señala las actividades que incluyen una grabación audio. El número que aparece en el icono indica la pista del CD en la que se encuentra la grabación.

Este icono señala las muestras de lengua que sirven como modelo para las producciones orales de los alumnos.

4.
Le presento al director general

Comunicación
- pedir y dar información sobre alguien
- saludar y despedirse
- preguntar por la presencia de alguien
- hablar del carácter
- hablar del cargo y de la función de alguien en una empresa
- presentar a alguien y reaccionar ante una presentación

Gramática
- el Presente de Indicativo del verbo **estar**
- el género y el número de los adjetivos

- **muy**, **bastante**, **un poco** + adjetivo
- la negación
- contraste entre los artículos definidos (**el**, **la**, **los**, **las**) y los indefinidos (**un**, **una**, **unos**, **unas**)
- preguntas con **qué**, **dónde**, **de dónde** y **cómo**

Léxico
- adjetivos de carácter
- cargos y departamentos
- relaciones de parentesco

Textos orales
- conversaciones sobre el carácter y las cualidades

de personas conocidas
- saludos y despedidas en diferentes situaciones
- presentaciones

Textos escritos
- agenda de trabajo
- tarjetas de visita
- artículo sobre gestos y saludos en diferentes culturas
- artículo sobre empresas familiares

Tarea
- En esta unidad vamos a presentar a conocidos en un ámbito laboral o familiar.

5.
De gestiones

Comunicación
- expresar obligación o necesidad
- expresar existencia
- ubicar en el espacio
- pedir y dar la hora
- hablar de horarios
- preguntar cuándo acontece algo
- pedir un objeto
- preguntar por el precio
- pedir información sobre cómo y dónde se puede obtener un servicio
- solicitar un servicio

Gramática
- preposiciones y locuciones de lugar: **en**, **entre**, **cerca de**,

a la derecha de...
- la forma impersonal **hay**
- la diferencia entre **estar** y **hay**
- el Presente de Indicativo de los verbos **ir** y **saber**
- el Presente de verbos irregulares con cambio vocálico: **o>ue** (**poder**), **e>ie** (**cerrar**)
- **tener que** + Infinitivo

Léxico
- establecimientos y servicios
- objetos de oficina

Textos orales
- petición de objetos entre compañeros de trabajo

- gestiones en diferentes establecimientos
- petición de información en un centro comercial

Textos escritos
- e-mail para informar de un viaje de trabajo
- plano de una ciudad
- artículo sobre tres centros comerciales de Buenos Aires

Tarea
- En esta unidad vamos a pedir información sobre lugares donde podemos realizar una serie de gestiones.

6.
Lugares para trabajar, lugares para vivir

Comunicación
- comparar
- expresar agrado y desagrado
- expresar un porcentaje
- opinar y argumentar
- hablar de hoteles y de sus servicios
- hablar de las características de una vivienda

Gramática
- la concordancia del adjetivo
- el Presente de Indicativo de **preferir** y **querer**
- contraste entre **ser** y **estar**
- los cuantificadores del adjetivo
- la comparación: **más/**

menos + adjetivo + **que**, **más/menos** + sustantivo + **que**
- el superlativo: **el/la/los/las más/menos** + adjetivo
- el verbo **gustar**

Léxico
- números a partir de 1000
- características de un piso
- objetos de oficina
- instalaciones y servicios de un hotel

Textos orales
- conversación sobre las características de un hotel
- encuesta sobre preferencias entre alquilar o comprar

- conversación entre clientes y vendedores de pisos

Textos escritos
- folletos de hoteles
- artículo sobre la vivienda
- anuncios de pisos y de locales comerciales
- catálogo de objetos de oficina
- artículos sobre proyectos empresariales
- artículos sobre el turismo ecológico

Tarea
- En esta unidad vamos a seleccionar el local ideal para varios negocios.

Me llamo Marta

En esta unidad vamos a conocer a algunos compañeros de clase y a presentarlos al resto de la clase.

Para ello vamos a aprender:
- Los números del 0 al 20
- El alfabeto
- La pronunciación: **b/v, c/qu, c/z, ch, g/gu, g/j, h, ll, ñ, r**
- El Presente de Indicativo de **ser**
- El Presente de Indicativo de **llamarse**
- Los pronombres demostrativos: **este, esta, estos, estas, esto**
- Los adjetivos de nacionalidad
- Algunas preguntas útiles en clase: **¿cómo se dice...?, ¿qué significa...?,** etc.
- A preguntar por el nombre y la nacionalidad
- A presentar a los compañeros
- A expresar una opinión

1
En clase de español

1. LUGARES

CD 1

A. Vas a escuchar el sonido ambiente de ocho lugares. ¿A qué imagen corresponde cada uno? Escríbelo.

B. En todas las fotografías aparecen palabras. ¿Sabes qué significan?
Puedes preguntar a tus compañeros o a tu profesor.

● "Museo" significa *museum*.
● Ah, vale. ¿Y qué significa "salidas"?
● No lo sé.

> ¿Qué significa...?

2. PALABRAS EN ESPAÑOL

CD 2

A. Escucha cómo se pronuncian y observa cómo se escriben estos nombres de empresas.

B/V	Tele**v**isión Española Uni**v**ersidad Complutense **B**anco de **V**alencia I**b**eria	**CH**	**Ch**ocolate Valor Banco de **Ch**ile **Ch**upa **Ch**ups		La To**j**a La **J**i**j**onenca Editorial **J**uventud
C/QU	**C**aja Rural de **C**uenca El **C**orte Inglés BF Ar**qu**ite**c**tos Pelu**qu**ería Rosa	**G/GU**	Estrella Se**gu**ros **G**as Natural Fa**g**or **G**alerías **Gu**errero Editorial A**gu**ilar	**H**	**H**otel Al**h**ambra **H**ispavista
C/Z	**C**ine Alcá**z**ar **Z**oo de Bar**c**elona A**z**ulejos Pla**z**a Hostal de la Lu**z**	**G/J**	Aceites **G**iralda Via**j**es Barceló Ar**g**entaria	**LL**	La Ma**ll**orquina Industrias Revi**ll**a
				Ñ	Papelería Espa**ñ**ola Pa**ñ**os Vicu**ñ**a

B. Comenta con tus compañeros cuándo se escribe **c**, **qu**, **z**, **j**, **g** y **gu**. ¿Qué vocales van después de cada letra?

3. EUROPA

A. Estas son las banderas de algunos países de Europa. ¿Sabes a que país corresponde cada una?

Alemania, Austria, Bélgica, Dinamarca, Finlandia, Francia, Grecia, Holanda, Hungría, Italia, Polonia, Portugal, Reino Unido, República Checa, Suecia, Suiza

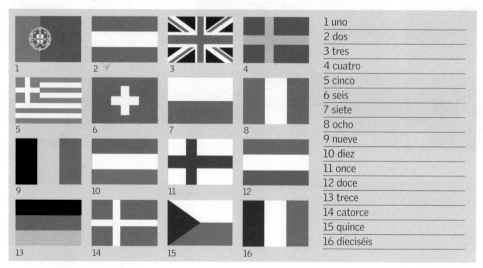

1	uno
2	dos
3	tres
4	cuatro
5	cinco
6	seis
7	siete
8	ocho
9	nueve
10	diez
11	once
12	doce
13	trece
14	catorce
15	quince
16	dieciséis

> **a** (a), **b** (be), **c** (ce), **ch** (che),
> **d** (de), **e** (e), **f** (efe), **g** (ge),
> **h** (hache), **i** (i), **j** (jota),
> **k** (ka), **l** (ele), **ll** (elle),
> **m** (eme), **n** (ene), **ñ** (eñe),
> **o** (o), **p** (pe), **q** (cu), **r** (erre),
> **s** (ese), **t** (te), **u** (u), **v** (uve),
> **w** (uve doble), **x** (equis),
> **y** (i griega), **z** (zeta)

B. Ahora, puedes preguntar el nombre de otros países.

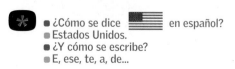

● ¿Cómo se dice 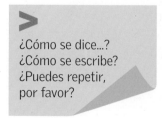 en español?
● Estados Unidos.
● ¿Y cómo se escribe?
● E, ese, te, a, de...

> ¿Cómo se dice...?
> ¿Cómo se escribe?
> ¿Puedes repetir, por favor?

4. SEMIFINALES DE VÓLEY-PLAYA

CD 3 Escucha los resultados de los partidos España-Cuba y China-Italia y completa los marcadores. ¿Qué países pasan a la final?

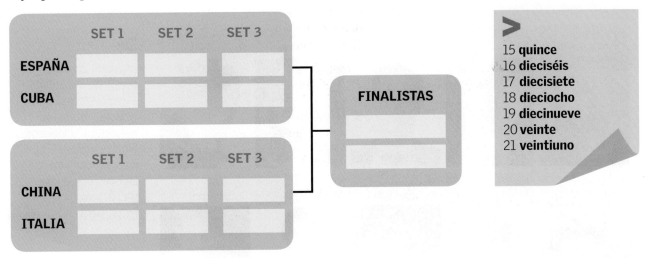

	SET 1	SET 2	SET 3
ESPAÑA			
CUBA			

FINALISTAS

	SET 1	SET 2	SET 3
CHINA			
ITALIA			

> 15 **quince**
> 16 **dieciséis**
> 17 **diecisiete**
> 18 **dieciocho**
> 19 **diecinueve**
> 20 **veinte**
> 21 **veintiuno**

5. LATINOAMÉRICA

A. ¿Sabes dónde están estos países en los que se habla español? Mira el mapa y escribe cada número en su lugar correspondiente. Luego, coméntalo con tu compañero.

- Argentina
- Bolivia
- Colombia
- Costa Rica
- Cuba
- Chile
- Ecuador
- Guatemala
- Honduras
- México
- Nicaragua
- Panamá
- Paraguay
- Perú
- Puerto Rico
- República Dominicana
- El Salvador
- Uruguay
- Venezuela

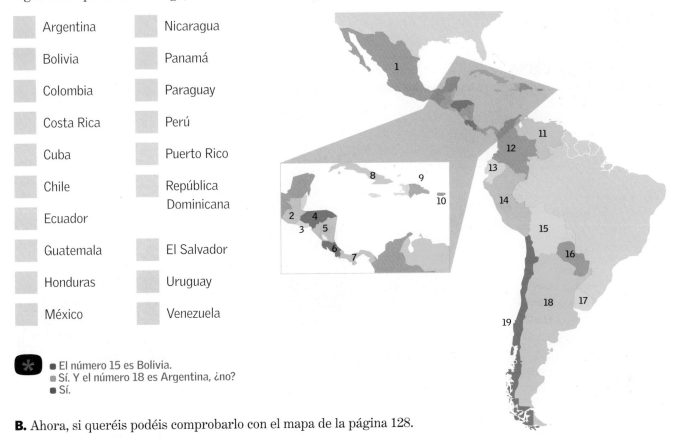

* ● El número 15 es Bolivia.
  ● Sí. Y el número 18 es Argentina, ¿no?
  ● Sí.

B. Ahora, si queréis podéis comprobarlo con el mapa de la página 128.

6. NACIONALIDADES

Aquí tienes a una persona de cada uno de estos países: Alemania, Brasil, España, Francia, Holanda, Inglaterra, Italia, Japón, Paquistán y Rusia. ¿De dónde crees que es cada una? En parejas, uno dice la nacionalidad y el otro adivina el nombre.

Je m'appelle **Danielle Girard**.

Menya zavut **Evgeny Ivanov**.

Ik heet **Hans van der Heyden**.

My name is **Sarah Walker**.

Watashi wa **Aiko Nakamura** desu.

Meu nome é **Rui Costa Matos**.

Ich heiße **Thorsten Fischer**.

Mi chiamo **Giovanna Rizzo**.

Me llamo **Marta García**.

Mera nam **Zahid Aziz** Hai.

> alemán - alemana
> brasileño - brasileña
> español - española
> francés - francesa
> holandés - holandesa
> inglés - inglesa
> italiano - italiana
> japonés - japonesa
> paquistaní
> ruso - rusa

✳
● Es francesa.
● ¿Es Danielle?
● Sí.

7. EN UN CONGRESO

CD 4 Escucha el diálogo entre la azafata y los asistentes a un congreso. Marca en la lista los que recogen su tarjeta.

VII CONGRESO NACIONAL

Nombre	Apellidos
Adela	García Olmos
Olga	Gómez Torres
Pablo	Gómez Velarde
Ana Isabel	González Castaño
José María	González Salazar
José María	González Saldaña
María José	Guillén Muñoz
Antonio	Gutiérrez Alonso
Fernando	Gutiérrez Alonso
Mercedes	Gutiérrez Martín

8. FERIA INTERNACIONAL DE TURISMO

Algunos participantes no tienen escrita la nacionalidad en sus tarjetas. Fíjate en los nombres, en los apellidos y en la empresa. ¿De dónde crees que son? Escríbelo y, luego, coméntalo con tu compañero.

Feria Internacional de Turismo

Nombre: Rosa
Apellidos: López Garmendia
Empresa: Juliá Tours
Nacionalidad:

Feria Internacional de Turismo

Nombre: Markus
Apellidos: Wessling
Empresa: Lufthansa
Nacionalidad:

Feria Internacional de Turismo

Nombre: Matthew
Apellidos: Smith
Empresa: British Airways
Nacionalidad:

Feria Internacional de Turismo

Nombre: Mustapha
Apellidos: Madih
Empresa: Dunia Tours
Nacionalidad:

Feria Internacional de Turismo

Nombre: Helga
Apellidos: Sherling
Empresa: Swiss
Nacionalidad:

Feria Internacional de Turismo

Nombre: Olaf
Apellidos: Svensson
Empresa: SAS
Nacionalidad:

Feria Internacional de Turismo

Nombre: Jennifer
Apellidos: Curtis
Empresa: TWA
Nacionalidad:

Feria Internacional de Turismo

Nombre: Roland
Apellidos: Dubois
Empresa: Air France
Nacionalidad:

Feria Internacional de Turismo

Nombre: Carlos Eduardo
Apellidos: Mendoza Díaz
Empresa: Viasa
Nacionalidad:

> alemán - alemana
> español - española
> estadounidense
> francés - francesa
> inglés - inglesa
> marroquí
> sueco - sueca
> venezolano - venezolana
> suizo - suiza

* ● ¿De dónde es Rosa López?
  ● Creo que es española.

9. LA FICHA DE CLASE

Completa esta ficha con tus datos personales.

FICHA DE CLASE

Nombre ....

Apellidos ....

Nacionalidad ....

N.º de pasaporte ....

Asignatura **español** ....

10. LOS OBJETOS DE LA CLASE

Vamos a conocer el nombre de las cosas de la clase. En parejas, escribid el nombre del objeto al lado del número correspondiente.

bolígrafo, cartera, cuaderno, DVD, enchufe, goma, lápiz, libro, mesa, papelera, perchero, pizarra, puerta, radiador, reloj, silla, televisor, ventana

1 _____	7 _____	13 _____
2 _____	8 _____	14 _____
3 _____	9 _____	15 _____
4 _____	10 _____	16 _____
5 _____	11 _____	17 _____
6 _____	12 _____	18 _____

> **>**
>
> Esto es un/una...

- ¿Cómo se dice esto en español?
- Televisor.
- Y esto es un lápiz, ¿no?
- Sí.

Portfolio

TUS COMPAÑEROS DE CLASE

A. En grupos, pregunta a tus compañeros su nombre y nacionalidad. Escríbelo en el cuadro.

Nombre	Apellido	Nacionalidad

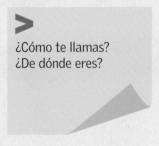

> ¿Cómo te llamas?
> ¿De dónde eres?

- ¿Cómo te llamas?
- Peter Schmidt.
- ¿"Schmidt" cómo se escribe?
- Ese, che, eme, i, de, te.
- ¿Y de dónde eres?
- Soy alemán, de Gotha.

B. Ahora, elegid a un portavoz que presente el grupo a toda la clase. Usad la información del cuadro.

- Me llamo Kate y soy inglesa.
  Este es Alain y es francés, esta
  es Lucy, australiana, y este es
  Johan y es holandés.

> **Este** es...
> **Esta** es...

2
Datos personales

En esta unidad vamos a crear una agenda con los datos personales de los compañeros.

Para ello vamos a aprender:
- Los números del 20 al 99
- Los números ordinales
- El género del sustantivo
- El artículo: definido e indefinido
- El Presente de los verbos regulares (**-ar/-er/-ir**)
- El Presente de los verbos irregulares **tener** y **hacer**
- La preposición **en** + lugar
- A preguntar y a dar datos personales
- A pedir la dirección, el número de teléfono, el e-mail
- A informar sobre la profesión o sobre los estudios
- A preguntar por algo que no conocemos: **¿qué es...?**
- Los nombres de algunos establecimientos
- Algunas abreviaturas

1. DOCUMENTOS

A. Estos son unos documentos de José María. ¿Qué son? ¿Para qué sirven? ¿Son iguales en tu país?

> **Sirve para...**
> identificarse
> pagar
> conducir
> viajar

* ● Esto es el carné de identidad y sirve para...

B. ¿De dónde es José María? ¿Cuántos apellidos tiene?

C. De los siguientes nombres, ¿sabes cuáles son de mujer y cuáles de hombre? ¿Cuáles son apellidos? Escríbelo en el cuadro.

Inés, Diego, María José, Juan Ramón, Aguilera, Jaime, Guillermo, Pérez, María del Mar, Pilar, Soledad, García, Fabián, Lourdes, Montserrat, Sánchez, Ángel, Navarro, Gabriela, Pablo, Ruiz

Nombres de hombre	Nombres de mujer	Apellidos

🎯 En España y en muchos países de Latinoamérica, las personas tienen dos apellidos: normalmente el primer apellido es el del padre, y el segundo, el de la madre.

D. ¿Conoces otros nombres y apellidos españoles? Añádelos en el cuadro.

2. EN LA OFICINA DE EMPLEO

Ficha de solicitud de empleo

Nombre: Ramón
Apellidos: Peinado Martín
Edad: 34
Domicilio: Avda. Imperial, 12
Población: Málaga
Teléfono: 952 247 204
Profesión: sociólogo
Estado civil: soltero

CD 5 **A.** El señor Peinado está en la oficina de empleo. La persona encargada de la oficina le hace unas preguntas para poder completar su ficha. Escucha la conversación y separa las preguntas con signos de interrogación.

cómo se llama y de apellido cuántos años tiene dónde vive en qué número cuál es su número de teléfono su profesión cuál es su estado civil

B. Ahora, escribe las preguntas correspondientes a cada respuesta.

Preguntas	Respuestas
¿Cómo se llama?	Ramón.
	Peinado Martín.
	Treinta y cuatro.
	En la Avenida Imperial.
	En el doce.
	Es el noventa y cinco, dos, veinticuatro, siete, dos, cero, cuatro.
	Sociólogo.
	Soltero.

CD 5 **C.** Escucha de nuevo y comprueba.

3. LA CARTERA DE RAQUEL

Raquel lleva en la cartera tarjetas y papeles de estos lugares. En parejas, descubrid qué es BBVA, Carrefour, Cinesa, Deuvedes, Iberia, Massimo Dutti, Tangerina, Tec y Viajes Tejedor.

> una agencia de viajes
> un banco
> una compañía aérea
> un cine
> un restaurante
> un supermercado
> una tienda de ropa
> una universidad
> un videoclub

* ● ¿Qué es Tangerina?
  ● Creo que es un restaurante.
  ● ¿Y qué es Tec?
  ● Creo que es una universidad.

4. ESTUDIOS Y PROFESIONES

A. Busca y subraya en estos anuncios los siguientes estudios y profesiones:

abogado, ADE (Administración y Dirección de Empresas), camarero, cocinero, Derecho, Económicas, ingeniero, programador, recepcionista, vendedor

B. Ahora, clasifícalos en dos columnas en tu cuaderno: ¿son profesiones o estudios? Puedes añadir otros.

5. ¿QUÉ HACES? ¿A QUÉ TE DEDICAS?

Completa el cuadro con los datos de seis compañeros de clase.

- Paul, ¿qué haces?
- Estudio Económicas y los fines de semana trabajo de camarero en un restaurante.
- ¿Dónde estudias?
- En la Universidad de Maastricht.

Nombre	¿Qué hace?	¿Dónde?
Paul	Estudia Económicas Trabaja de camarero	En la Universidad de Maastricht En un restaurante

> **Soy** ingeniero/a.
> **Trabajo en** un banco.
> **Trabajo de** camarero/a.
> **Estudio** Derecho.
> **Estudio en** la Universidad de Maastricht.

6. DIRECCIONES

A. Busca y subraya en estos documentos las abreviaturas de avenida, calle, derecha, izquierda, número, paseo, plaza, señor y señora.

Atemsa
Avda. Constitución, 12 - 1º
28012 Madrid
www.atemsa.es

Sr. Martínez Ríos
Pza. de España, 10 - 1º dcha.
28010 Madrid

> @ arroba
> . punto
> / barra
> - guión (medio)
> _ guión bajo

FAX

Sic LIBROS
91 568 398
clientes_sic@sic.com

A LA ATENCIÓN DE: Sra. Fortes

DE: Sic Libros

FECHA:

Nº DE PÁGINAS (INCLUIDA ESTA):

Teo Hnos.
c/ Galiano, 30 - 3º izda.
01030 Álava

Estimados señores:

GURSA
P.º de la Alameda
n.º 8 - 2º 4ª
50020 Zaragoza
www.gursa-spain.com

Zaragoza, 26 de abril de 2008

CD 6-8 B. María trabaja en la editorial Libroplus y quiere enviar el nuevo catálogo a sus clientes. Escucha cómo habla por teléfono con tres clientes para pedir o para confirmar su dirección. Toma nota de las direcciones y ayuda a María a corregir y a completar esta página de la base de datos.

LIBROPLUS
www.libroplus.es

Base de datos

NOMBRE	APELLIDOS	TELÉFONO	E-MAIL	POBLACIÓN	DIRECCIÓN
Ángel	Bermúdez	963 525 478	abermudez@socios.com	46440 Valencia	Pza. Nueva, 5
Raquel	Pinilla	914 207 883	raquelpin44@mimail.es	Madrid	
Colegio de Arquitectos		948 234 700	colegio@arquitectos.com	31070 Pamplona	P.º de Galicia, 2
Antonio	Pereira	934 586 521	a.pereira@mixmail.es	08032 Barcelona	Avda. Gaudí, 64
Sonia	Rovira	956 582 246	sra@mail.com	85400 Sevilla	c/ Almudena, 15

| 19/10/08 | Página: 16/45 | Actualizado: 12/10/08 | Mailing catálogos | ver página anterior | ver página siguiente |

C. Ahora, prepara las etiquetas para mandar los catálogos a los tres clientes.

7. ¿DÓNDE VIVES?

Busca entre tus compañeros a alguno que vive en la misma calle, en el mismo número o en el mismo piso que tú.

8. ¿TÚ O USTED?

A. En español hay una forma de tratamiento más formal, **usted** (Vd.), y otra menos formal, **tú**. Marisa y Roberto son estudiantes universitarios. Observa las siguientes situaciones y marca en cada una si usan **tú** o **usted**.

1 En clase, con una estudiante

¿Cómo te llamas?

Marisa. ¿Y tú?

☐ tú   ☐ usted

2 En la Universidad, con un profesor

Marisa Delgado, ¿usted estudia Sociología también?

Sí.

☐ tú   ☐ usted

3 En el ambulatorio, con una enfermera

Marisa Delgado.

¿Cómo te llamas?

Mira, pues tienes el número 4.

☐ tú   ☐ usted

4 En la oficina de atención al estudiante

¿Dónde vives?

En Génova.

☐ tú   ☐ usted

5 En la oficina, con la jefa

¿Es usted el nuevo alumno de prácticas?

Sí.

¿Cómo se llama?

Roberto Rossi.

☐ tú   ☐ usted

6 En la oficina, con un compañero de trabajo

¿Me das tu teléfono?

Sí, es el 656 779 178.

☐ tú   ☐ usted

CD 9-11 **B.** Ahora, escucha las tres conversaciones y señala en el cuadro si usan **tú** o **usted**.

	TÚ	USTED
1 En una residencia de estudiantes		
2 En la oficina de empleo		
3 En una óptica		

9. NOMBRE, APELLIDOS Y DIRECCIÓN

 Ramón llama a la Cámara de Comercio para pedir información. La telefonista le pide sus datos personales. Escucha sus respuestas y completa la ficha.

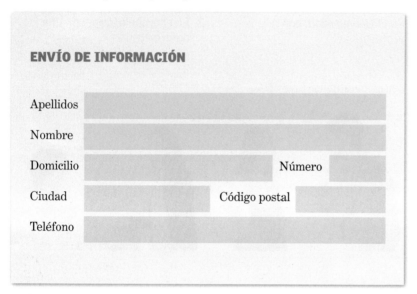

ENVÍO DE INFORMACIÓN

Apellidos	
Nombre	
Domicilio	Número
Ciudad	Código postal
Teléfono	

 ### 10. UN IMPRESO
Tienes un nuevo trabajo. Antes de firmar el contrato tienes que rellenar este impreso.

Datos para el expediente

1 Datos personales
Apellidos
Nombre
Estado civil   Lugar de nacimiento
Fecha de nacimiento   Nacionalidad
Dirección
Teléfono fijo   Teléfono móvil
Correo electrónico

2 Documentos de identificación
N.º de DNI / N.º de pasaporte

3 Datos laborales y de formación
N.º de Seguridad Social
Estudios realizados

Fecha   Firma

Estado civil
soltero/a
casado/a
divorciado/a
viudo/a

Portfolio

LA AGENDA DE LA CLASE

A. Escribe en estas fichas el nombre de algunos compañeros de clase. Luego, pídeles otros datos personales: la dirección, el número de teléfono y el correo electrónico.

* ¿Me das tu dirección, Nancy?
* Sí, mira, avenida de Navarra, 34.
* ¿Y tu teléfono?
* El móvil es el 609 854 926 y el fijo es el 978 504 925.
* ¿Y cuál es tu correo electrónico?
* Es nancystar@nau.ar

B. Intercambia con tus compañeros las informaciones que tienes hasta completar la agenda de toda la clase.

3

El mundo
de la empresa

**En esta unidad vamos a crear una empresa y
a elaborar una pequeña campaña publicitaria.**

Para ello vamos a aprender:
- Los números del 100 al 1000
- El número (singular y plural) de los sustantivos
- Los posesivos: **mi**, **tu**, **su**, **nuestro**...
- El Presente de Indicativo de algunos verbos
  regulares: la sílaba tónica
- El pronombre relativo **que**
- A expresar cantidades aproximadas: **unos/unas**
- A expresar ubicación: el verbo **estar**
- A expresar coincidencia: **también**
- A expresar cierta inseguridad o duda ante
  una información
- A expresar acuerdo o desacuerdo ante
  una propuesta
- A solicitar y a dar información sobre empresas:
  tipo de empresa, nacionalidad, número de
  empleados, etc.

1. TIPOS DE EMPRESA, TIPOS DE ESCUELA

A. Aquí tienes algunos tipos de empresa y de escuela. Relaciona cada tipo con una ilustración.

1	una escuela de negocios
	una escuela de marketing
	una escuela de turismo
	una academia de idiomas
	una compañía aérea
	una compañía de seguros
	una cadena de tiendas de ropa
	una cadena de hoteles
	una empresa de alimentación
	una empresa de informática
	una empresa petroquímica
	una empresa de telecomunicaciones
	un despacho de arquitectos
	una agencia de publicidad
	un banco

B. ¿Puedes dar ejemplos concretos de estos tipos de empresa o de escuela?

- Iberia es una compañía aérea.
- Sí, creo que sí. Y Nestlé es una empresa de alimentación, ¿no?

> (Sí,) creo que sí.
> (No,) creo que no.

2. NÚMEROS Y CIFRAS

A. Fíjate en esta lista de números escritos en letras y escríbelos debajo de la imagen correspondiente.

treinta
doscientos catorce
quinientos
seiscientos cincuenta
nueve
ochocientos cuarenta
novecientos once
quinientos veinticinco

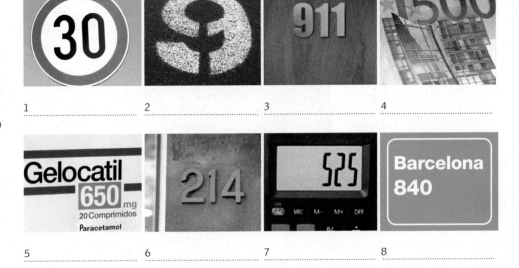

1 .... 2 .... 3 .... 4 ....

5 .... 6 .... 7 .... 8 ....

CD 13 **B.** Ahora, escucha y comprueba.

29

3. ¿DÓNDE ESTÁ EL SEÑOR PADILLA?

Francisco Padilla es representante de una empresa internacional y viaja por todo el mundo.
¿Sabes en qué país o en qué ciudad está en cada foto? Coméntalo con tu compañero.

- Aquí creo que está en México.
- No sé. Yo creo que quizá está en Argentina.
- Aquí está en Londres.
- Sí, creo que sí.

> No sé.
> Quizá...

4. EMPRESAS

CD 14 **A.** Unas personas hablan de su empresa. Ordena las empresas (de 1 a 6) por orden de aparición.

	Empresa	Tipo de empresa	Nacionalidad
	Damsum		
1	Gursa	**compañía de seguros**	**española**
	Montelera		
	Yen Bank		
	Pereira Irmãos		
	Von Guten		

CD 14 **B.** Escucha otra vez y escribe qué tipo de empresa es y la nacionalidad.

5. ¿ESTUDIAS O TRABAJAS?

Escribe en el cuadro los datos de tu empresa o de tu escuela y la de cuatro de tus compañeros.
Si no estudias ni trabajas, escribe los datos de tu empresa o escuela ideal (real o inventada).

La empresa o escuela de...	Tipo de empresa o escuela	Nombre	Nacionalidad
mi empresa o escuela			

¿Estudias o trabajas?

¿Y cómo se llama?

¿De dónde es?

Trabajo en una agencia de viajes.

Horizontes.

Española.

6. ESPAÑA PRODUCE...
A. ¿Qué sabes de estos países? Relaciona países y frases.

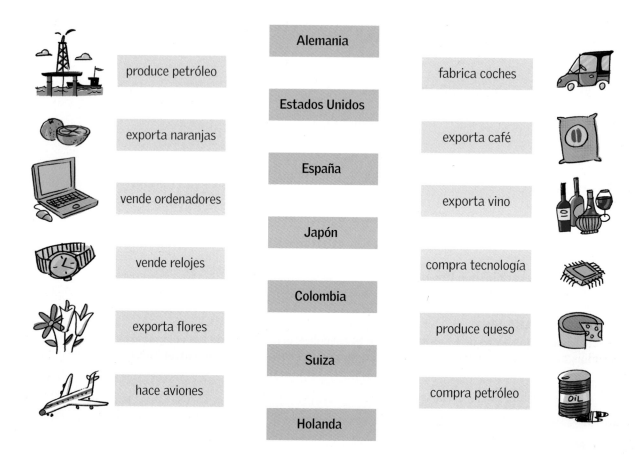

produce petróleo

exporta naranjas

vende ordenadores

vende relojes

exporta flores

hace aviones

Alemania

Estados Unidos

España

Japón

Colombia

Suiza

Holanda

fabrica coches

exporta café

exporta vino

compra tecnología

produce queso

compra petróleo

B. Ahora, compara con tu compañero.

● España produce naranjas, ¿no?
● Sí, y Estados Unidos también.

C. ¿Y tu país?

7. NOMBRES DE EMPRESAS
Escribe en un papel el nombre de tres empresas y, luego, dáselo
a tu compañero. ¿Conoces las empresas que ha escrito tu compañero?
Pregúntale qué tipo de empresas son y a qué se dedican.

● ¿Qué es Zara?
● Es una cadena de tiendas española.
  Vende ropa en España y en otros países.

Zara

Philips

Puma

8. HOLDINGS

Vamos a trabajar en parejas: A y B.

Alumno A. Imagina que estas son tus empresas. Completa el cuadro. Luego, pregunta a tu compañero por sus empresas y completa el otro cuadro.

	Tipo de empresa	N.º de laboratorios, oficinas, sucursales, tiendas, supermercados, fábricas, etc.	N.º de empleados
CIRCUS			
Don Sol			
SAN JOSÉ			

Alumno B. Imagina que estas son tus empresas. Completa el cuadro. Luego, pregunta a tu compañero por sus empresas y completa el otro cuadro.

	Tipo de empresa	N.º de laboratorios, oficinas, sucursales, tiendas, supermercados, fábricas, etc.	N.º de empleados
Seguvida			
HNOS. SANZ			
el trébol			

- ¿Qué es Circus?
- Es una empresa petroquímica.
- ¿Cuántos laboratorios tiene?
- 150.
- ¿Y cuántos empleados?
- Unos 500.

9. ¿QUÉ ES? ¿DÓNDE ESTÁ?

 CD 15-19

A. Escucha y relaciona cada empresa con sus informaciones correspondientes.

SANITAX   un restaurante   el centro de Madrid
ÑAM'S   una tienda de ropa   Barcelona
MASTERPLUS   un hospital   toda España
LA MODE   un supermercado   la calle Sierpes
SUPERECO   una escuela de negocios la avenida de Castilla

B. Ahora, comprueba con tu compañero.

- Sanitax es un hospital que está en Barcelona.

10. ANUNCIOS

A. Lee estos tres anuncios y señala a qué empresa corresponde cada ilustración de abajo. Después, compara con tu compañero.

CHANCLA es una cadena de tiendas de ropa que ofrece las últimas tendencias de la moda internacional. Tiene unos 1000 trabajadores y 50 tiendas repartidas en toda España.

CHANCLA, tus tiendas de ropa y complementos

> trescient**os** emplead**os**
> trescient**as** person**as**

1

TESA es la marca pionera de la industria automovilística internacional y líder mundial en el sector del automóvil. Fabrica vehículos desde 1925. Invierte constantemente en tecnología avanzada. Diseña coches seguros, atractivos y de vanguardia. Está en más de 140 países, con fábricas en Barcelona, Los Angeles, Detroit y Tokio.

2 **TESA**

Bionatur

En Villar del Río unas 50 personas trabajan la tierra con amor, como es natural.
En **Bionatur** pensamos que lo primero es la salud. Vendemos productos 100% naturales y 100% ecológicos.
En **Bionatur**, cuidamos la naturaleza.

3

¿Qué es?	¿Qué hace?	¿Dónde está?	¿Cuántos/as ... tiene?
			1000 50
			4
			50

Portfolio **B.** Ahora, escribe una ficha con los datos de las empresas, como en el ejemplo.

Bionatur es una empresa de alimentación que vende productos naturales y ecológicos.
Está en Villar del Río y tiene unos cincuenta trabajadores.

Portfolio

CREA TU EMPRESA

A. Busca uno o dos compañeros para crear una empresa de uno de los siguientes tipos. Si queréis, podéis buscar otro tipo de empresa.

> Vale.
> (Sí,) muy bien.
> (No,) mejor...

* ● Nuestra empresa es una cadena de hoteles.
● Vale.
● No, mejor una empresa de vinos.

B. Vosotros decidís. Completad esta tabla con la información de vuestra empresa.

¿Cómo se llama?	
¿Qué es?	
¿Qué hace?	
¿Dónde está?	
¿Cuántos/as ... tiene?	

C. Ahora, podéis preparar un anuncio de la empresa y un logotipo en un papel y colgarlo en la clase.

D. Finalmente, vais a presentar vuestra empresa a los demás compañeros. Ellos tendrán que descubrir cuál es vuestro anuncio. Si queréis, podéis grabar la presentación.

Nuestra empresa se llama Telecom ABM. Es una empresa danesa de telecomunicaciones, líder en el sector, que vende a todo el mundo. Fabrica ordenadores, teléfonos móviles...

4

Le presento al director general

En esta unidad vamos a presentar a conocidos en un ámbito laboral o familiar.

Para ello vamos a aprender:
- El verbo **estar**: forma y usos
- El género y el número de los adjetivos
- **Muy, bastante**, **un poco** + adjetivo
- La negación: **no**
- El contraste entre artículos definidos (**el, la, los, las**) e indefinidos (**un, una, unos, unas**)
- A pedir y a dar información sobre alguien
- A saludar y a despedirse
- A preguntar por la presencia de alguien
- A hablar del carácter de una persona
- A hablar del cargo y de la función de alguien
- A presentar a alguien y a reaccionar
- Algunos adjetivos de carácter
- Cargos y departamentos de una empresa

1. MIS PRÁCTICAS EN ESPAÑA

A. Erik es un estudiante sueco que ha estado en Barcelona para aprender español y hacer unas prácticas en una empresa. Mira las ilustraciones. ¿Qué relación crees que tiene cada persona con Erik? Coméntalo con tus compañeros.

un/una amigo/a
un/una compañero/a de clase
un/una compañero/a de trabajo
su novio/a
su profesor/ra
su jefe/a

En la playa con Marta y Héctor

En la clase de español

con Philip, Pepa, Naoko y Erik

En la oficina con Ángel y Virginia

● ¿Quién es Pepa?
● Yo creo que es su profesora de español.
● Sí, supongo. ¿Y Philip?

B. Erik vuelve a Estocolmo y enseña las fotos en su clase de español. Escucha y escribe las palabras que utiliza para hablar de estas personas.

agradable, amable, antipático/a, competente, guapo/a, inteligente, interesante, joven, profesional, responsable, serio/a, simpático/a, tímido/a, trabajador/ra, vago/a

Pepa es ....

Naoko es ....

Marta es ....

Héctor es ....

Ángel es ....

Virginia es ....

2. ESTE ES ERIK

CD 23-26

Son los primeros días de Erik en Barcelona. Paco, su compañero de piso, le presenta a otras personas. Escucha y escribe el nombre de esas personas y la relación que tienen con Paco. Luego, compara con tu compañero.

Es _____ y es
un _____ de Paco.

Es _____ y es
una _____ de Paco.

1

2

Es _____ y es
el _____ de Paco.

3

Es _____ y es
la _____ de Paco.

4

3. EN LOS LABORATORIOS MAYER

Con tu compañero y con ayuda de la ilustración, sitúa en la planta correspondiente los departamentos de esta empresa.

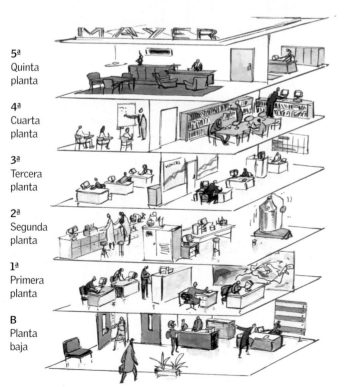

5ª
Quinta
planta

4ª
Cuarta
planta

3ª
Tercera
planta

2ª
Segunda
planta

1ª
Primera
planta

B
Planta
baja

Departamento de Ventas y Marketing
Recepción e Información
Departamento de Formación
Dirección General
Departamento de Investigación y Desarrollo
Administración y Logística

*
● Recepción e Información están en la planta baja.
■ Sí. ¿Y el Departamento de Formación?

> Ventas **y** Marketing
Recepción **e** Información

4. SALUDOS Y DESPEDIDAS
A. Relaciona cada situación con su diálogo correspondiente.

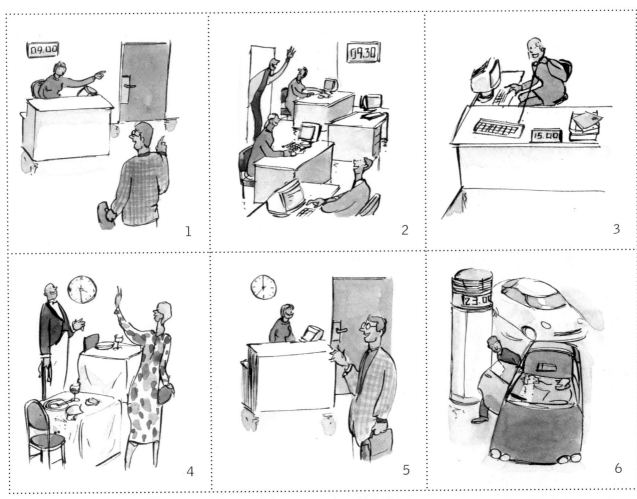

▢ ● Hola, buenos días. ● Hola, ¿qué tal?	▢ ● Interdata, buenas tardes. ¿Dígame? ● Hola. Buenas tardes. ¿El Señor Márquez, por favor?	
▢ ● Adiós. Buenas noches. ● Buenas noches.	▢ ● Hasta mañana. ● Hasta luego.	
▢ ● Hola Mónica. Buenos días. ¿Está Javier? ● Hola. Buenos días. Sí, está en su despacho.	▢ ● Buenas tardes. ● Adiós. Buenas tardes.	

CD 27 **B.** Ahora, escucha y comprueba.

5. UN DÍA DE TRABAJO

Trabajas como comercial en una empresa de telecomunicaciones. Aquí tienes tu agenda de trabajo para hoy. Fíjate en la hora y piensa qué dirás en cada situación. Escríbelo y después compara con tu compañero.

1. Llegas a Ericsson. Preguntas por el Sr. Smith.

2. Llamas a tu oficina. Preguntas por Marta (una compañera).

3. Llegas a Nokia. Preguntas por el Sr. Malimaa.

4. Llamas a Telefónica. Preguntas por la Sra. Estrella.

5. Llegas a tu oficina. Preguntas por Julio (un compañero).

Martes 12

8:00	
9:00	Ericsson: Sr. Smith
10:00	Marta
11:00	
12:00	
13:00	
14:00	
15:00	Nokia: Sr. Malimaa
16:00	
17:00	Telefónica: Sra. Estrella
18:00	Julio
19:00	

6. REUNIÓN CON EL NUEVO PRESIDENTE

CD 28 En los laboratorios Mayer hay una reunión para presentar el nuevo presidente a otros directivos de la empresa. Escucha la presentación y escribe el cargo debajo del nombre de cada persona. Luego, compara con tu compañero.

jefe de Ventas, jefe de Investigación y Desarrollo, jefa de Administración, directora de Formación, director general

1 Sr. Álvarez de Yraola

presidente

2 Eduardo Higueras

3 Matilde Corral

4 Antonio Argumosa

5 Felipe Gutiérrez

6 Arancha Solchaga

7. EL PERSONAL DE PHILIS EN ZARAGOZA

A. Estas personas trabajan en la nueva oficina de Philis en Zaragoza. Vamos a trabajar en parejas: A y B.

Alumno A. Conoces a estas personas. ¿Qué cargo tienen en Philis? Tú decides el cargo. ¿Qué trabajo hace cada uno? Relaciona las tres columnas.

| Manuela Gil | Pablo Moreira | Isabel Moya | Gerardo Ruiz | Fernando López |

Manuela Gil
Pablo Moreira
Isabel Moya
Gerardo Ruiz
Fernando López

secretario/a de dirección
jefe/a de Personal
director/ra comercial
director/ra financiero/a
ingeniero/a de proyectos

Lleva la gestión de las ventas, el marketing, etc.
Lleva el Departamento de Administración y Finanzas.
Lleva los proyectos de Investigación y Desarrollo (I+D).
Lleva los contratos de los trabajadores.
Lleva la agenda del director o de la directora.

Alumno B. Conoces a estas personas. ¿Qué cargo tienen en Philis? Tú decides el cargo. ¿Qué trabajo hace cada uno? Relaciona las tres columnas.

| Concha Sevilla | David Rodrigo | Daniel Zamora | Ricardo Sánchez | María José Yagüe |

Concha Sevilla
David Rodrigo
Daniel Zamora
Ricardo Sánchez
María José Yagüe

programador/ra
jefe/a de Contabilidad
director/ra de Relaciones Externas
director/ra de Producción
técnico/a de sistemas

Lleva la asistencia técnica a la red informática.
Lleva el desarrollo de programas informáticos.
Lleva la gestión de la planta de producción.
Lleva las relaciones con clientes institucionales.
Lleva las facturas.

B. Ahora, pregunta a tu compañero el cargo y la función de los otros trabajadores de Philis. Relaciona las tres columnas.

● ¿Quién es Concha Sevilla?
● Es la directora de Producción. Lleva la gestión de la planta de producción.
● ¿Y quién es David Rodrigo?
● Es el director de Relaciones Externas. Se encarga de las relaciones con clientes institucionales.

> **Lleva** los proyectos de I+D.
Se encarga de los proyectos de I+D.
Es el/la responsable de los proyectos de I+D.

8. TARJETAS DE VISITA

Estas son las tarjetas de visita de algunos trabajadores de los periódicos *Cambio* y *ACB*. Elige la tarjeta de un trabajador. Tu compañero tiene que descubrir de qué persona se trata.

Juan Moral Blanco
Redactor

Cambio

De la Prensa, 16, 3ª planta
18010 Granada
Tel. 958 38 07 36 Ext. 30
juan.moral@cambio.es
www.cambio-prensa.es

ACB

Carlos Alcaide Zamora
Redactor

Del Papel, 5, 3ª planta
29805 Málaga
Tel. 95 508 77 22 / Ext. 30
calzamora@acbprensa.es
www.acb-prensa.es

Blanca Peris Sanz
Periodista

Cambio

De la Prensa, 16, 3ª planta
18010 Granada
Tel. 958 38 07 36 Ext. 31
blanca.peris@cambio.es
www.cambio-prensa.es

ACB

Ignacio Vergara Navarro
Periodista

Del Papel, 5, 3ª planta
29805 Málaga
Tel. 95 508 77 22 / Ext. 31
ivernavarro@acbprensa.es
www.acb-prensa.es

Francisco Bermúdez Brown
Redactor

Cambio

De la Prensa, 16, 2ª planta
18010 Granada
Tel. 958 38 07 36 Ext. 20
francisco.bermudez@cambio.es
www.cambio-prensa.es

ACB

Carmen Díaz Casanova
Periodista

Del Papel, 5, 2ª planta
29805 Málaga
Tel. 95 508 77 22 / Ext. 21
cdicasanova@acbprensa.es
www.acb-prensa.es

Francisco García Rubio
Periodista

Cambio

De la Prensa, 16, 2ª planta
18010 Granada
Tel. 958 38 07 36 Ext. 21
francisco.garcia@cambio.es
www.cambio-prensa.es

ACB

Iván Leis Espino
Redactor

Del Papel, 5, 2ª planta
29805 Málaga
Tel. 95 508 77 22 / Ext. 20
ileespino@acbprensa.es
www.acb-prensa.es

- ¿Dónde trabaja?
- En ACB.
- Y... ¿qué hace?
- Es periodista.
- ¿Y en qué planta trabaja?
- En la segunda.
- ¿Es Carmen Díaz?
- Sí.

9. AMIGOS, FAMILIA Y COMPAÑEROS

A. Escribe tu nombre en la caja del centro y el nombre de personas que tienen alguna relación contigo en las otras cajas. Después, piensa: ¿quién es?, ¿qué hace?, ¿cómo es?, ¿de dónde es?, ¿dónde vive?, ¿dónde trabaja?, etc.

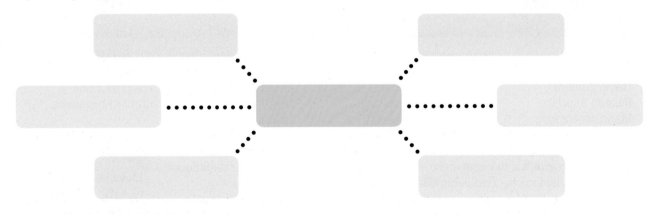

B. Ahora, en parejas, tu compañero te va a hacer preguntas para saber quién es cada persona.

- ¿Quién es Juan José?
- Es un amigo, compañero de la Universidad.
- ¿Y qué hace?
- Es ingeniero, trabaja en una constructora en Valencia.

10. RECEPCIÓN EN LA CÁMARA DE COMERCIO

A. En la Cámara de Comercio de Madrid hay una cena de empresas extranjeras que trabajan en España. En el cóctel algunas personas presentan a sus amigos, conocidos y colegas. Relaciona cada frase con su presentación correspondiente.

☐ Mire, señor Olmos, le presento a la señora Dubois, la directora comercial de Michelin.	☐ Mira Ernesto, este es Ramiro, el jefe de Ventas de Tecsa.
☐ Ricardo, mira, te presento a Nuria Gómez, una compañera de trabajo.	☐ Señor González, le presento al nuevo director financiero de Canon, el señor Futura.

CD 29 **B.** Ahora, escucha y comprueba.

11. ¡ENCANTADO!

A. Javier también está en el cóctel de la Cámara de Comercio de Madrid. ¿Qué dice cuando un compañero de trabajo le presenta a estas personas? Escríbelo.

Mira, esta es Emilia, una amiga.

¡Hola!

Te presento a Daniel, mi compañero de despacho.

¡Hola!

Te presento al señor Soria, el jefe de departamento.

Encantado.

B. Compara con tus compañeros.

 C. Ahora te toca a ti. Escucha las siguientes presentaciones y reacciona.

12. ¿CONOCES A...?

A. Aquí tienes dos presentaciones, una más formal (la de la izquierda) y otra más informal (la de la derecha). Ordénalas y, luego, compara con tu compañero.

A	**1**
• ¿Conoce a la Sra. Michelli? • No, no la conozco. • Pues, si quiere, se la presento. • Ah, pues sí. Muy bien.	• ¿Conoces a Luis? • ¿Luis? No, no lo conozco. • Pues ven, que te lo presento. • Bueno.
• Encantada. • Encantado.	• Luis también es periodista.
• El Sr. Asensio trabaja en Ordenaplus, lleva el Departamento de Recursos Humanos.	• ¿Ah sí? ¿Y dónde trabajas? • Pues ahora estoy en *El País*. ¿Y tú?
• Sra. Michelli, le presento al Sr. Asensio.	• Hola, ¿qué tal? • Hola.
• ¿Ah sí? ¿Aquí en La Coruña? • Sí, en Juan Flórez.	• Mira, Luis. Este es Rainer, mi compañero de piso.

> Te presento a...
> Os presento a...
> Este/esta es...
> Estos/estas son...

Formal
Le presento a...
Les presento a...

 B. Ahora, escucha y comprueba.

PRESENTACIONES

A. Escribe una pequeña biografía ficticia sobre ti. Puedes hablar de los siguientes puntos:

cómo te llamas, de dónde eres, dónde vives, a qué te dedicas, dónde trabajas, qué produce tu empresa, cuántos empleados tiene tu empresa, tu número de teléfono, tu dirección electrónica, tu edad, cómo se llaman algunos miembros de tu familia, dónde viven, etc.

B. Vamos a trabajar en grupos de tres: A, B y C.

Primero, decidís dónde estáis:

- en una fiesta en casa de...
- en una comida de negocios
- en un congreso
- en un bar
- en la oficina de...
- en la calle
- ...

A continuación, A y B deciden la relación que tienen:

- novio/a
- marido/mujer
- jefe/a
- amigo/a
- compañero/a de...
- conocido/a
- ...

Finalmente, A y C deciden la relación que tienen:

- novio/a
- marido/mujer
- jefe/a
- amigo/a
- compañero/a de...
- conocido/a
- ...

C. Ahora, vais a mantener una pequeña conversación. A presenta C a B. Luego, C trata de averiguar información de B, y B, de C. Si queréis, podéis grabar la conversación.

5

De gestiones

En esta unidad vamos a pedir información sobre lugares donde podemos realizar una serie de gestiones.

Para ello vamos a aprender:
- Las preposiciones y locuciones de lugar: **en, entre, cerca de, lejos de, a la derecha de**...
- La forma impersonal **hay**
- La diferencia entre **estar** y **hay**
- El Presente de los verbos irregulares **ir** y **saber**
- El Presente de verbos irregulares con cambio vocálico: **o>ue (poder), e>ie (cerrar)**
- A expresar obligación: **tener que** + Infinitivo
- A pedir y a dar la hora
- A hablar de horarios
- A pedir un objeto y a preguntar por el precio
- A pedir y a solicitar un servicio
- Los nombres de algunos establecimientos
- Los nombres de los objetos de oficina

1. ESTABLECIMIENTOS

A. Fíjate en estos seis establecimientos. ¿Sabes cómo se llaman? Coméntalo con tus compañeros.

B. Mira las fotos y marca en el cuadro dónde puedes comprar sellos, abrir una cuenta, etc. Si quieres saber dónde puedes hacer otras cosas, pregunta a tus compañeros o a tu profesor.

	estanco	quiosco	agencia de viajes	banco	cibercafé	oficina de Correos
comprar sellos						
abrir una cuenta						
comprar el periódico						
enviar un paquete						
reservar un billete de avión/tren/autocar						
consultar tus correos electrónicos						

C. ¿Sabes cuál es el horario de las tiendas en España? Pregunta a tus compañeros o al profesor. ¿Y en tu país?

- ¿Cuándo abren los bancos en España?
- No estoy seguro... Creo que a las ocho y media.
- ¿Y cuándo cierran?
- Creo que a las dos.

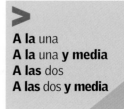
A la una
A la una **y media**
A las dos
A las dos **y media**

2. UN CORREO DE UN COMPAÑERO

Lars ha recibido este correo electrónico de un compañero de trabajo para informarle de la presentación de un nuevo producto. Léelo y, con un compañero, localizad en el plano los lugares a los que tienen que ir.

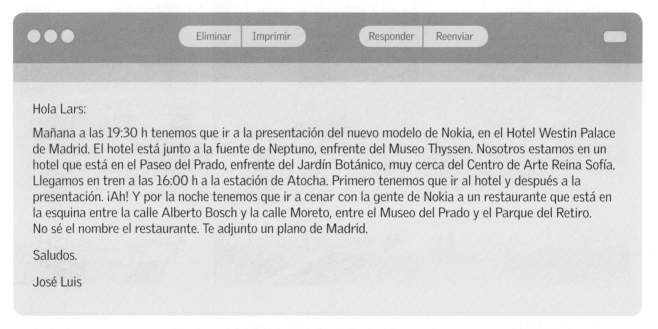

Hola Lars:

Mañana a las 19:30 h tenemos que ir a la presentación del nuevo modelo de Nokia, en el Hotel Westin Palace de Madrid. El hotel está junto a la fuente de Neptuno, enfrente del Museo Thyssen. Nosotros estamos en un hotel que está en el Paseo del Prado, enfrente del Jardín Botánico, muy cerca del Centro de Arte Reina Sofía. Llegamos en tren a las 16:00 h a la estación de Atocha. Primero tenemos que ir al hotel y después a la presentación. ¡Ah! Y por la noche tenemos que ir a cenar con la gente de Nokia a un restaurante que está en la esquina entre la calle Alberto Bosch y la calle Moreto, entre el Museo del Prado y el Parque del Retiro. No sé el nombre el restaurante. Te adjunto un plano de Madrid.

Saludos.

José Luis

- Mira, aquí está el hotel.
- A ver... Sí, es verdad.
- ¿Y sabes dónde está el restaurante?
- Mmm...

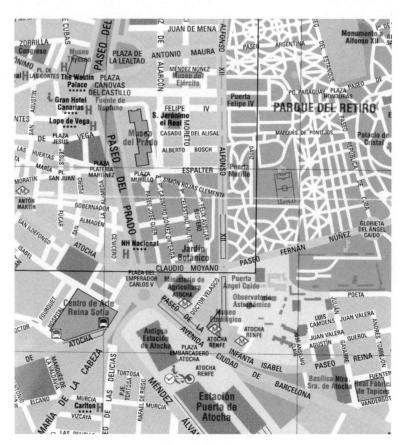

3. UNA EMPRESA DE DISEÑO GRÁFICO

A. Estas son las mesas de trabajo de Enrique, de Nacho y de Cristina. ¿Sabes cómo se llaman los objetos? Haz una lista con las cosas que tiene cada uno en su mesa.

Enrique	Nacho	Cristina

tijeras
regla
rotulador
clips
lápiz
móvil
goma
ordenador

hojas
bolígrafo
celo
bote
sobres
grapadora
lámpara
cúter

● ¿Sabes cómo se llama esto?
● Lápiz.
● Es verdad... Y esto es un rotulador, ¿no?
● ¡No! Es un bolígrafo.
● ¿Y esto qué es?
● Mmm...

CD 33 **B.** Los diseñadores piden algunas cosas a sus compañeros. Escucha y señala en el dibujo las cosas que piden.

C. Elige una de las tres mesas y descríbele a tu compañero las cosas que hay. Él o ella tiene que descubrir si es la mesa de Enrique, de Nacho o de Cristina.

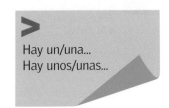
Hay un/una...
Hay unos/unas...

● Hay unas tijeras, una regla, un ordenador portátil...
● ¿La mesa de Enrique?
● ¡Sí!

4. CAMBIO DE OFICINA

A. La empresa Circus tiene una nueva oficina. Es difícil encontrar algunas cosas. Martín, un trabajador nuevo, busca las tijeras, el celo, los sellos, el rotulador, la grapadora y la calculadora. ¿Puedes ayudarle? Escríbelo.

> **en** el cajón
> **al lado de** los sobres
> **encima de** una caja
> **debajo de** las hojas
> **delante del** teléfono
> **detrás del** teléfono

 B. Ahora, escucha y comprueba.

C. Vamos a jugar al escondite. En parejas: uno esconde un CD en la oficina de Circus. El otro tiene que descubrir dónde está.

- ¿Está encima de la mesa?
- No.
- ¿En el cajón?
- No.
- ¿Al lado de la calculadora?
- ¡Sí!

5. OBJETOS DE OFICINA

Dibuja seis objetos de oficina en seis tarjetas. Después, ponte de pie. Tienes dos minutos para pedir objetos de oficina a tus compañeros de clase. A ver quién consigue más cosas.

- ¿Tienes un lápiz?
- Pues no, no tengo. Y tú, ¿tienes un bolígrafo?
- Sí, toma.

6. DEPARTAMENTOS Y DESPACHOS

En parejas: A y B. Trabajáis en una importante compañía de seguros. Sois nuevos en el edificio.

Alumno A

Trabajas en la cuarta planta.
Marca en la ilustración dónde están:

1. la fotocopiadora
2. los servicios
3. el despacho del Sr. Castellanos
4. el despacho del director comercial
5. Contabilidad

Tienes que subir a la quinta planta.
Pregúntale a tu compañero dónde están:

– la máquina de café
– la sala de reuniones
– el despacho de la Sra. Ruiz
– el despacho de la subdirectora
– Administración

Alumno B

Trabajas en la quinta planta.
Marca en la ilustración dónde están:

1. la máquina de café
2. la sala de reuniones
3. el despacho de la Sra. Ruiz
4. el despacho de la subdirectora
5. Administración

Tienes que bajar a la cuarta planta.
Pregúntale a tu compañero dónde están:

– la fotocopiadora
– los servicios
– el despacho del Sr. Castellanos
– el despacho del director comercial
– Contabilidad

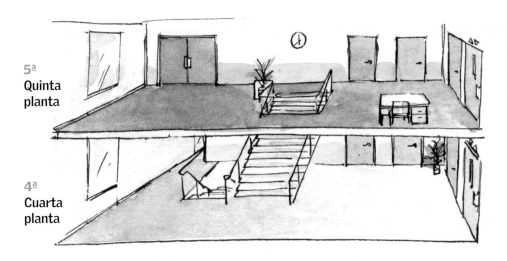

5ª
**Quinta
planta**

4ª
**Cuarta
planta**

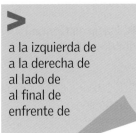

a la izquierda de
a la derecha de
al lado de
al final de
enfrente de

 ● Oye, ¿sabes dónde está la máquina de café?
● Sí, está enfrente de las escaleras.

 ● Oye, ¿sabes dónde está la fotocopiadora?
● Sí, al final del pasillo.

7. UN CENTRO COMERCIAL

A. Mira este anuncio del centro comercial Área Central y comenta con tu compañero cuántos establecimientos de cada tipo hay.

restaurantes
supermercados
agencias de transportes
salas de cine
tiendas de electrodomésticos
tiendas de ropa
agencias de viajes
zapaterías
tiendas de telefonía móvil
entidades bancarias

● Hay dos restaurantes: la Pizzería Fabio y Mr. Bocata.
● Pues yo creo que hay tres.

CD 35

B. En Área Central un cliente busca algunas tiendas y pregunta en Información. Escucha y señala en el plano dónde están:

Vaqueros Tex
ROCO (Ropa & Complementos)
Zapatolandia
Hipermercado Descuento

8. SERVICIOS, PRODUCTOS Y PRECIOS

A. Observa dónde están estas personas y elige una respuesta para cada situación.

¿Para abrir una cuenta, por favor? **1**

Quería enviar esta carta certificada. **2**

¿Tienen sobres? **3**

Quería cambiar 300 $. **4**

¿Cuánto cuesta alquilar un BMW un fin de semana? **5**

¿Qué modelo?

No, no tenemos.

En euros, ¿no?

¿Urgente?

Sí, aquí mismo. ¿Tiene su pasaporte?

CD 36 **B.** Ahora, escucha y comprueba.

9. PRÁCTICAS EN UNA EMPRESA

A. Vuestra escuela os ha enviado a hacer unas prácticas a la empresa Urben de Madrid, que está en la calle Arenal, esquina Maestro Victoria. Busca la dirección en el plano.

B. Ahora, con un compañero, observad el plano para descubrir qué hay cerca de Urben.

🏛 Museo

✦ Oficina de Correos

P Parking

◈ Estación de metro

🛡 Comisaría de Policía

⛽ Gasolinera

H Hotel

i Oficina de información turística

* ● Mira, hay una oficina de información turística aquí mismo...
  ● Sí, es verdad. Y al lado de la oficina hay...

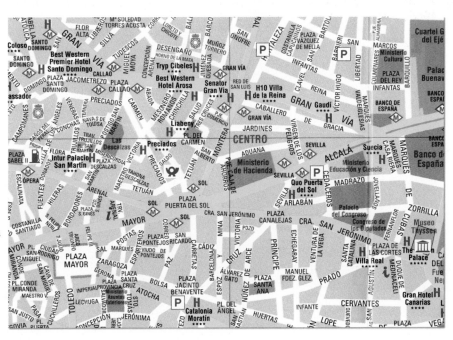

Tarea

GESTIONES

A. Haz una lista de los establecimientos y servicios que para ti son más necesarios en un barrio. Por ejemplo, un banco, un quiosco, una parada de taxis, una farmacia, una estación de metro, una escuela, etc. Escribe ocho como mínimo.

B. Aquí tienes los planos de dos barrios de una ciudad española. En parejas, cada uno elige un barrio y sitúa en él los establecimientos y los servicios de la lista del apartado anterior. Para identificarlos, podéis poner una letra o inventar un símbolo.

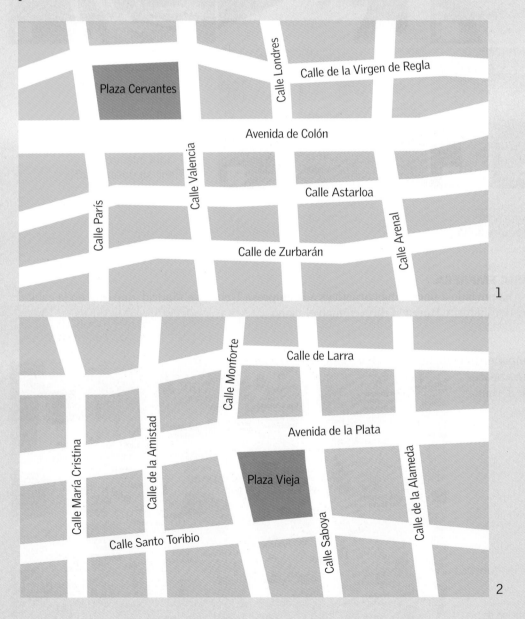

C. Ahora, escribe dónde y cuándo puedes hacer estas gestiones.

Gestiones	¿Dónde?	¿Cuándo?
1. Aparcar el coche		
2. Comprar un par de zapatos		
3. Limpiar un traje		
4. Hacer una transferencia		
5. Coger un taxi		
6. Poner gasolina		
7. Comprar unas flores		
8. Comer con un cliente		
9. Enviar un paquete		
10. Comprar el periódico		
11. Cambiar dinero		

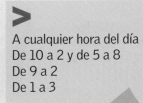

> A cualquier hora del día
> De 10 a 2 y de 5 a 8
> De 9 a 2
> De 1 a 3

D. Hoy tienes que hacer unas gestiones en el barrio de tu compañero. Escoge por lo menos seis de la lista anterior y pregúntale dónde y cuándo puedes hacerlas. Podéis grabar la conversación.

● Tengo que enviar un paquete. ¿Sabes dónde está la oficina de Correos?
● En mi barrio no hay.
● Ah, vale. ¿Y dónde puedo cambiar dinero?
● Pues hay un banco en la calle...
● ¿Y cuándo abre?
● A las...

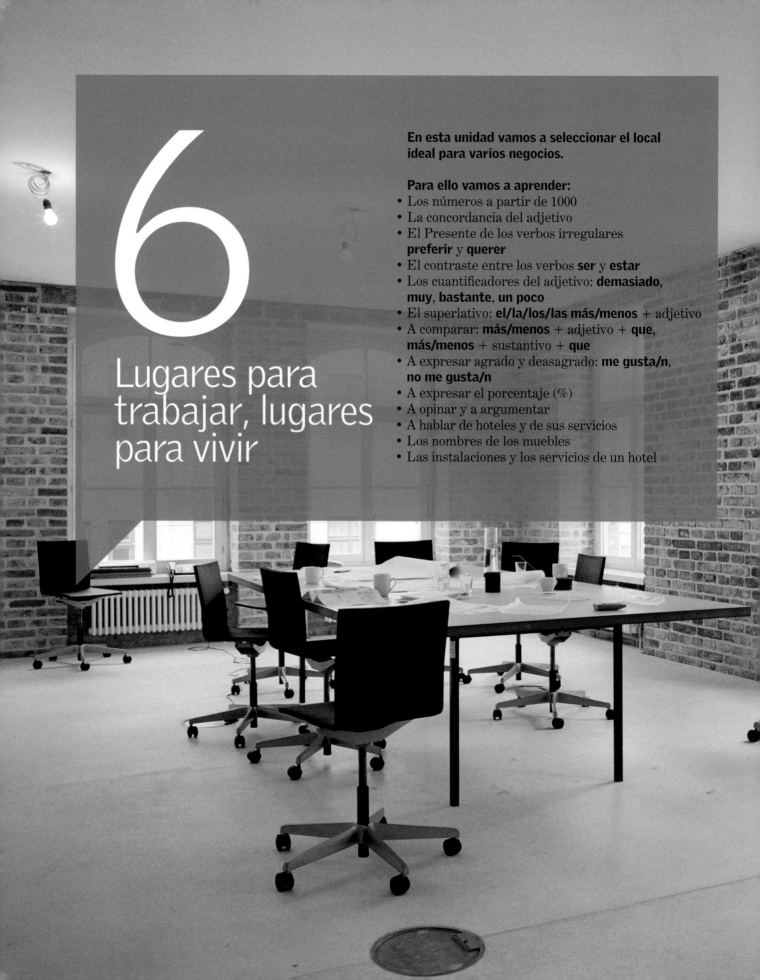

6

Lugares para trabajar, lugares para vivir

En esta unidad vamos a seleccionar el local ideal para varios negocios.

Para ello vamos a aprender:
- Los números a partir de 1000
- La concordancia del adjetivo
- El Presente de los verbos irregulares **preferir** y **querer**
- El contraste entre los verbos **ser** y **estar**
- Los cuantificadores del adjetivo: **demasiado, muy, bastante, un poco**
- El superlativo: **el/la/los/las más/menos** + adjetivo
- A comparar: **más/menos** + adjetivo + **que**, **más/menos** + sustantivo + **que**
- A expresar agrado y deasagrado: **me gusta/n, no me gusta/n**
- A expresar el porcentaje (%)
- A opinar y a argumentar
- A hablar de hoteles y de sus servicios
- Los nombres de los muebles
- Las instalaciones y los servicios de un hotel

1. UN BUEN HOTEL

A. Fíjate en este folleto del Hotel Rabada. Antes de leer el texto, mira las fotos e intenta completar el cuadro.

Hotel Rabada
* * * *

El Hotel Rabada le da la bienvenida y le ofrece la posibilidad de una estancia excepcional en un ambiente moderno, funcional y muy acogedor, ideal tanto para viajes de placer como de trabajo. Situado en pleno centro de Barcelona, a solo cinco minutos de la Plaza de Cataluña, el Hotel Rabada le ofrece unos servicios de primera calidad en sus recientemente reno-vadas instalaciones.

Instalaciones y servicios
110 habitaciones
1 *suite* presidencial
9 *junior suites*
servicio de habitaciones
sala de convenciones
(para 700 personas)
5 salones para reuniones
(de 30 a 100 m²)
gimnasio
piscina climatizada
sauna y *jacuzzi*
parking privado
restaurante
bar

Habitaciones
wi-fi
minibar
aire acondicionado
televisión
teléfono
secador de pelo
kit de baño

	Sí	No
Es un hotel moderno.		
Tiene un restaurante.		
Es un hotel de cinco estrellas.		
Tiene un bar.		
Tiene salones para reuniones.		

	Sí	No
Es un hotel clásico.		
Tiene gimnasio.		
Tiene pistas de tenis.		
Tiene piscina.		
Tiene un casino.		

B. Ahora, lee el texto del folleto y completa este cuadro en tu cuaderno. ¿Cómo es? ¿Dónde está? ¿Qué tiene?

Es	Está	Tiene

C. Un español recomienda a un amigo extranjero el Hotel Rabada. Escucha la conversación y señala en la lista del cuadro la información que oyes. Luego, escucha otra vez y añade información nueva.

CD 37

2. ¿EN LA CIUDAD O EN LAS AFUERAS?

A. Carmen y Matt están casados y trabajan en la misma empresa. Los han trasladado a Madrid y necesitan una vivienda. Mira las ilustraciones. ¿Dónde quiere vivir cada uno: en la ciudad o en las afueras?

Piso de 80 m². 3 habitaciones, baño, cocina, aseo. Muy céntrico. No necesita reformas. 900 euros al mes.

Casa de 125 m². 4 dormitorios, 2 baños, cocina, 2 aseos, jardín. Urbanización Las Encinas, a 10 km de Madrid. Muy tranquilo. 1100 euros al mes.

* ● Carmen quiere...

B. Carmen y Matt no están de acuerdo sobre qué vivienda elegir y discuten. ¿Quién crees que dice cada una de estas frases: Carmen o Matt? Escríbelo.

... es que la casa es más grande que el piso, tiene muchos más metros.

Sí, pero el piso está mucho más cerca del centro.

... además el piso tiene menos habitaciones, solo tiene tres.

... y el piso está más cerca del colegio de los niños.

Sí, claro, pero la casa tiene jardín.

La casa es más cara que el piso.

C. Y tú, ¿qué prefieres? ¿Una casa en las afueras de la ciudad como Matt o un piso en el centro como Carmen? ¿Por qué? Habla con tu compañero.

* ● Yo prefiero un piso en el centro porque...
  ● Pues yo prefiero una casa en las afueras porque...

3. ¿COMPRAR O ALQUILAR?

A. Lee el texto y, luego, completa el gráfico con los porcentajes y los países que faltan.

Los europeos prefieren comprar

diez **por ciento** (10%)
sesenta y uno **por ciento** (61%)

Según un estudio reciente, el 61% de las viviendas europeas están en sistema de propiedad. En España existen más de 23 millones de viviendas, pero solamente el 10% son hogares en alquiler. Algo similar, aunque menos exagerado, ocurre en Grecia, donde un 80% de la población prefiere comprar la vivienda. En muchos otros países europeos, sin embargo, es muy común alquilar un piso. En Alemania, por ejemplo, casi el 60% de la población vive en pisos de alquiler. En Holanda el 47% vive de alquiler y en Francia, el 37%.

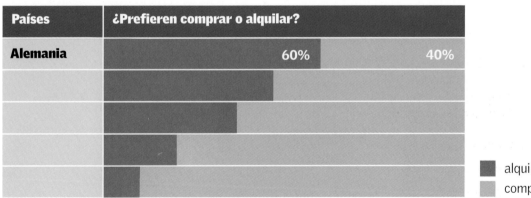

Países	¿Prefieren comprar o alquilar?		
Alemania		60%	40%

■ alquilar
■ comprar

B. Ahora, vamos a salir a la calle para conocer la opinión de algunas personas. Marca en el cuadro si prefieren comprar o alquilar.

	1	2	3	4	5
comprar					
alquilar					

4. BUSCO PISO

A. Iván llama por teléfono para pedir información sobre dos anuncios de pisos que le interesan. Lee los anuncios y escribe en la ficha técnica la información que tiene de cada uno.

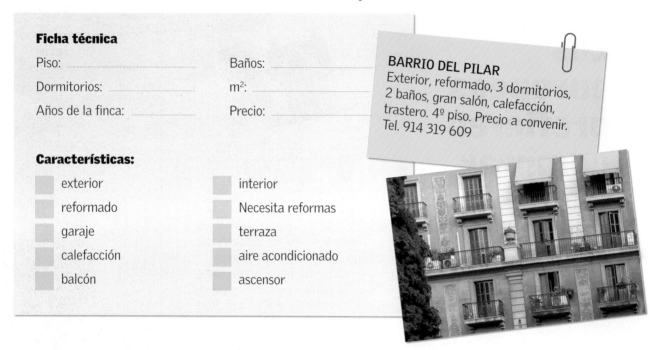

Ficha técnica

Piso: .... Baños: ....

Dormitorios: .... m²: ....

Años de la finca: .... Precio: ....

BARRIO DEL PILAR
Exterior, reformado, 3 dormitorios, 2 baños, gran salón, calefacción, trastero. 4º piso. Precio a convenir.
Tel. 914 319 609

Características:

☐ exterior ☐ interior

☐ reformado ☐ Necesita reformas

☐ garaje ☐ terraza

☐ calefacción ☐ aire acondicionado

☐ balcón ☐ ascensor

BARRIO DE LA CRUZ
90 m², 3 dormitorios, salón, cocina, baño. Finca antigua con ascensor.
Tel. 601 455 019

Ficha técnica

Piso: .... Baños: ....

Dormitorios: .... m²: ....

Años de la finca: .... Precio: ....

Características:

☐ exterior ☐ interior

☐ reformado ☐ Necesita reformas

☐ garaje ☐ terraza

☐ calefacción ☐ aire acondicionado

☐ balcón ☐ ascensor

CD 43-44 B. Ahora, escucha la conversación de Iván con los vendedores y completa la información.

5. EL DESPACHO DEL JEFE

A. El jefe ha cambiado los muebles de su oficina. ¿Qué te parecen? Coméntalo con tu compañero.

el escritorio	las cortinas
la silla	el cuadro
el teléfono	el reloj
la lámpara	el sofá
el ordenador	los sillones
la alfombra	la mesa

>	grande
	pequeño/a
demasiado	moderno/a
muy	clásico/a
bastante	elegante
un poco	bonito/a
	feo/a
	original

● La lámpara es muy fea, ¿no?
● Bueno, es un poco clásica, pero no es fea.

B. En parejas, mirad el despacho durante 30 segundos y, luego, cerrad el libro. Preguntaos dónde están los muebles. Gana el que más respuestas correctas tenga.

● ¿Dónde está la lámpara?
● Encima del escritorio. ¿Y el reloj?
● En la pared, al lado del cuadro.

6. VUESTRO NUEVO DESPACHO

Tu compañero y tú tenéis un nuevo despacho, pero está casi vacío. El jefe os da estas opciones para elegir los muebles y el material. ¿Qué modelos preferís? ¿Por qué? Tenéis que poneros de acuerdo.

TOLOMEO
Lámpara de trabajo.
Tubo y base de aluminio.
Pantalla de acero. **89 €**

MIKAEL
Mesa de madera de haya.
140 cm de ancho y 76 cm
de alto. **49 €**

PRINCE
Silla giratoria con ruedas.
Asiento y respaldo de piel
auténtica. **175 €**

FRAS
Reloj de pared de plástico.
25,5 cm de diámetro.
12 €

TRAB
Silla giratoria con ruedas.
Estructura de acero.
Altura regulable. **59 €**

ANTIFONI
Lámpara de trabajo.
Pantalla y base de aluminio.
Incluye bombilla. **39 €**

GOLIAT
Cajonera de madera con
ruedas. 45 cm de ancho y
68 cm de alto. **29 €**

MAC STAR
Ordenador portátil. Disco
duro de 80 GB. 1 GB de
memoria RAM. **1269 €**

HELMET
Cajonera metálica de color
rojo con ruedas. 28 cm de
ancho y 85 cm de alto. **39 €**

DEKAD
Reloj de pared de vidrio y
metal. 22 cm de diámetro.
18 €

PC 450
Ordenador. Disco duro de
120 GB. 512 MB de memoria
RAM. **980 €**

JONAS
Escritorio de madera de
abedul. 140 cm de ancho y
73 cm de alto. **99 €**

> **(No) Me gusta** + singular
> **(No) Me gustan** + plural

- ¿Qué ordenador prefieres?
- Yo prefiero este. Me gustan los PC.
- Pues yo prefiero este porque es más pequeño, más práctico.
- Sí, pero es más caro y tiene menos capacidad.

7. TU CASA IDEAL

Piensa en tu casa ideal. ¿Cómo es? ¿Dónde está? ¿Qué tiene? Luego, pregunta a tu compañero para descubrir cinco características de su casa ideal. Él o ella solo puede contestarte **sí** o **no**. ¿Tenéis gustos parecidos?

- ¿Es grande?
- Sí.
- ¿Está en la montaña?
- No.
- ¿En la costa?
- Sí.
- ¿Tiene jardín?
- Sí.

8. HOTELES PARA TODOS LOS GUSTOS

Lee atentamente la información sobre estos cuatro hoteles. ¿Qué hotel eliges para cada uno de estos casos: un viaje de negocios, unas vacaciones con un/a amigo/a, una luna de miel, unas vacaciones con tu familia? ¿Por qué? Coméntalo con tu compañero.

HOTEL SANTA CLARA — Cartagena de Indias

Elegante hotel ubicado en un convento del siglo XVII. Todas las habitaciones tienen aire acondicionado, teléfono, acceso a Internet, minibar y caja de seguridad. El hotel dispone de una cafetería, varios restaurantes, bar, piscina, *jacuzzi*, parking privado, salón de belleza, baños turcos, sauna y 7 salones para reuniones.

Precio de una habitación doble: 80 €

HOTEL MARRIOT PLAZA — Buenos Aires

Situado en pleno centro de Buenos Aires, el Marriot Plaza cuenta con 273 habitaciones, todas con aire acondicionado, acceso a Internet, TV y minibar. El hotel dispone también de dos restaurantes, cafetería, club nocturno, piscina climatizada, *jacuzzi*, gimnasio, tiendas y 9 salas de reuniones (más de 1000 m² disponibles en total).

Precio de una habitación doble: 160 €

HOTEL HYATT BEACH — Dorado (Puerto Rico)

Espectacular complejo hotelero situado junto a la playa, a 33 km de San Juan, la capital. Lujosas habitaciones con aire acondicionado, TV, teléfono y minibar. El hotel tiene varios restaurantes, cafeterías y bares, un casino, un gimnasio, dos campos de golf, dos piscinas, pistas de tenis y un parque infantil. Posibilidad de realizar deportes acuáticos.

Precio de una habitación doble: 200 €

HOTEL ANAUCO HILTON — Caracas

El Hotel Anauco Hilton está situado en el centro financiero y cultural de la capital de Venezuela. Las habitaciones son espaciosas y confortables; todas con aire acondicionado, TV y acceso a Internet. Dos restaurantes, dos bares, una piscina y 7 salones para reuniones y conferencias completan las instalaciones.

Precio de una habitación doble: 100 €

- Para un viaje de negocios, creo que es mejor el hotel... porque tiene/es/está en...
- Pues yo creo que es mejor el hotel... porque... Además, es mucho más barato, cuesta la mitad.

> Cuesta   el doble
> la mitad

Portfolio

EL LOCAL IDEAL

A. La revista *Negocios con ideas* ha publicado un artículo con los nueve mejores proyectos del año. Lee la información. ¿Cuál te parece más atractivo? ¿Cuál crees que es más arriesgado? ¿Cuál más rentable? Coméntalo con tus compañeros.

Negocios con ideas

9 **proyectos** con futuro

¿Quiere montar un negocio innovador y con futuro? Nuestros expertos le presentan los nueve mejores proyectos del año. Todos atractivos y rentables a corto plazo, con mayor o menor inversión. Unos más seguros, otros un poco más arriesgados. Para todos los gustos y bolsillos.

Una heladería	**Un campo de golf**	**Una tintorería ecológica**
Inversión: 60 000 €	**Inversión:** 680 000 €	**Inversión:** 100 000 €
Rentabilidad: 35%	**Rentabilidad:** 20%	**Rentabilidad:** 40%
Amortización: 2-2,5 años	**Amortización:** 4-5 años	**Amortización:** 2-3 años
Un parque de ocio infantil	**Un restaurante vegetariano**	**Un cibercafé**
Inversión: 90 000 €	**Inversión:** 150 000 €	**Inversión:** 140 000 €
Rentabilidad: 25-30%	**Rentabilidad:** 30%	**Rentabilidad:** 15%
Amortización: 1,5-2 años	**Amortización:** 2,5 años	**Amortización:** 5-6 años
Un gimnasio femenino	**Un portal inmobiliario**	**Una granja de avestruces**
Inversión: 285 000 €	**Inversión:** 10 000 €	**Inversión:** 60 000 €
Rentabilidad: 25%	**Rentabilidad:** 45%	**Rentabilidad:** 40%
Amortización: 2,5 años	**Amortización:** 1 año	**Amortización:** 2,5 años

- Yo creo que el portal inmobiliario es muy rentable.
- Sí, porque solo necesitas 10 000 euros y lo amortizas en un año.
- Es verdad, pero hay otros que son más atractivos. La tintorería ecológica, por ejemplo.

B. Imagina que eres un asesor empresarial. Dos de tus clientes, Pablo Mendoza y Marisa Pérez, quieren montar un negocio pero no tienen claro de qué tipo. Lee las fichas de cada cliente y, luego, de los nueve proyectos anteriores, elige los dos más interesantes para cada uno. Luego, compara tus propuestas con las de tus compañeros para, finalmente, elegir la mejor.

Cliente: Pablo Mendoza (42 años)
Características: es un apasionado de los deportes y de la arquitectura; busca un negocio seguro, sin mucho riesgo.
Presupuesto de inversión: 300 000 €

Cliente: Marisa Pérez (31 años)
Características: es una apasionada de las nuevas tecnologías, del campo y de la vida sana; busca un negocio innovador y con futuro.
Presupuesto de inversión: 90 000 €

- Para Pablo Mendoza, los mejores negocios son ... y ... porque...

C. Aquí tienes una selección de locales de Madrid disponibles para nuevos negocios. Selecciona el más adecuado para tus dos clientes. Luego, coméntalo con tus compañeros. Tenéis que poneros de acuerdo.

CLASIFICADOS

1 CHAMARTÍN. P.º de la Castellana, local de 250 m² en uno de los barrios más elegantes de Madrid. 3000 €/mes.

2 HORTALEZA. 210 m², planta baja, exterior, cualquier actividad. 1700 €/mes.

3 FUENCARRAL. Urge vender solar edificable de 1500 m². Precio a negociar.

4 Terreno de 200 m² a 20 km de Madrid. Lago natural. Precio a convenir.

5 CENTRO. Pza. Santa Ana, local de 400 m², ideal para bar o restaurante. 5000 €/mes.

6 CHAMBERÍ. Bilbao. Local de 125 m². Bar de copas, restaurante. 2900 €/mes.

7 MALASAÑA. Barrio joven y moderno. Planta baja de 100 m² + patio interior de 30 m². 2000 euros al mes.

8 SALAMANCA. Local de 300 m² en barrio elegante, tercer piso, exterior, salida calle. Cualquier negocio. 4000 €/mes.

9 CHAMBERÍ. Santa Engracia, oficina de 90 m², 4 despachos, exterior, perfecto estado. 1100 euros/mes.

10 AFUERAS DE MADRID. Antigua granja avícola. Casa centenaria con gran terreno. Alquiler: 3200 €/mes. Posible venta.

11 CENTRO. Pza. de España, loft de 60 m². 900 €/mes.

12 CHUECA. Preciosa planta baja de 300 m² en uno de los barrios más modernos de Madrid. 2500 €/mes.

● Para Pablo Mendoza es ideal el local de la plaza Santa Ana porque...
● Pues yo creo que es demasiado grande. Es mejor el local de Chamberí. Y además, es más barato.

D. Ahora, completad la ficha con la información de cada inversor y, luego, presentad uno de los dos proyectos al resto de la clase. Podéis grabarlo.

Nombre del cliente: Pablo Mendoza

Tipo de negocio:

Zona:

m²:

Precio:

Características:

Nombre del cliente: Marisa Pérez

Tipo de negocio:

Zona:

m²:

Precio:

Características:

7

Agenda de trabajo

En esta unidad vamos a concertar citas de trabajo con varios compañeros.

Para ello vamos a aprender:
- El Presente de los verbos reflexivos
- Algunos verbos irregulares en Presente
- **Con** + pronombres personales
- A hablar de acciones habituales y de horarios
- A expresar frecuencia: **siempre, a veces...**
- A secuenciar acciones: **primero, después...**
- A hablar de acciones previstas
- A proponer y a concertar una cita
- A rechazar una propuesta
- A justificarse
- A plantear una alternativa
- A expresar obligación y consejo:
  tener que + Infinitivo
- Los días de la semana
- La hora y las partes del día

1. AGENDA

A. Aquí tienes la agenda para esta semana de José María Oliver, jefe de Ventas de una empresa de alimentación. Debajo tienes otras cosas que también tiene que hacer. Busca el mejor día y la mejor hora para hacerlas y escríbelo en la agenda.

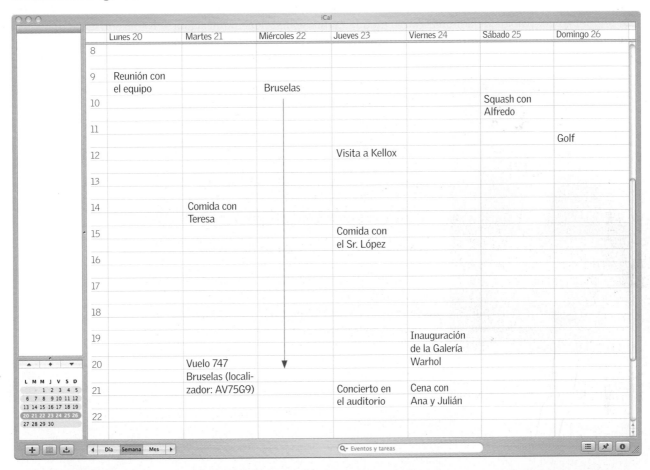

	Lunes 20	Martes 21	Miércoles 22	Jueves 23	Viernes 24	Sábado 25	Domingo 26
8							
9	Reunión con el equipo		Bruselas				
10						Squash con Alfredo	
11							Golf
12				Visita a Kellox			
13							
14		Comida con Teresa					
15				Comida con el Sr. López			
16							
17							
18							
19					Inauguración de la Galería Warhol		
20		Vuelo 747 Bruselas (localizador: AV75G9)					
21				Concierto en el auditorio	Cena con Ana y Julián		
22							

Tiene que hablar con el director para preparar el viaje a Bruselas.

Tiene que hablar con su equipo a finales de semana para hacer el balance del mes.

Tiene que comer con Felipe Sánchez de Nestlé.

Tiene que ver al Sr. Medina de Danone a principios de semana.

Tiene que visitar la fábrica de Pascual a finales de semana.

Tiene que cenar con la directora de Frutis.

> **Por la mañana**
> **la tarde**
> **la noche**
> **A mediodía**
> **A las** diez (**de** la mañana)
> **las** doce (**del** mediodía)
> **las** cinco (**de** la tarde)
> **las** diez (**de** la noche)
> **Primero**...
> **Después**...
> **Luego**...
> **Más tarde**...

B. Ahora, comenta con tus compañeros las diferentes posibilidades que hay.

● La reunión con el director puede ser el lunes por la tarde.
● Sí, pero también puede ser por la mañana.
● Sí, primero se reúne con su equipo y luego con el director.

2. HORARIOS

A. En español, el día se divide fundamentalmente en cuatro partes: la mañana, el mediodía, la tarde y la noche. Con la ayuda del profesor, intentad delimitar las horas de cada una de las partes. ¿Es igual en vuestro idioma?

B. Miguel Ángel trabaja de administrativo en una empresa de telecomunicaciones. Estas son las actividades que hace en un día normal. Agrupa las actividades según si las hace por la mañana, a mediodía, por la tarde o por la noche. Algunas se pueden hacer en diferentes momentos del día.

Se levanta a las 7:00 h.

Ve un rato la televisión después de cenar.

Lee un poco antes de acostarse.

Empieza el trabajo a las 9:00 h.

Después del trabajo va al gimnasio para hacer un poco de deporte.

Toma sólo un café antes de ir a la oficina.

Cena a las 21:30 h.

Después de comer trabaja sin pausa hasta las 18:00 h.

A media mañana desayuna con los compañeros de trabajo.

Revisa su correo electrónico cuando llega a la oficina.

Lee el periódico en el metro.

Se acuesta a las 00:30 h.

Come entre las 14:00 y las 15:00 h.

Se ducha.

Por la mañana	A mediodía

Por la tarde	Por la noche

C. Ahora, pregunta a tu compañero si hace esas actividades y cuándo.

- ¿A qué hora te levantas?
- A las 7, ¿y tú?
- A las 7 y media. ¿Y desayunas en casa?

3. TELÉFONO

A. En Almatel el teléfono suena a todas horas. Vas a escuchar varias llamadas. Ordena la columna de la izquierda con números del 1 al 5, según el orden de las llamadas.

	Almatel	¿Quién llama?	¿Quiere dejar algún recado?
	Comunica.		
	Está.	**Pilar García (Simago)**	
1	No está.		
	En este momento está ocupado/a.		
	En este momento está reunido/a.		

B. Ahora, escucha otra vez y completa la tabla.

4. CITAS DE TRABAJO

A. Antonio Gutiérrez es el director comercial de una empresa textil. Hoy tiene que hablar por teléfono con estas personas para concertar una cita de trabajo. ¿En qué casos crees que va a usar **tú** o **usted** para hablar con ellos? Escríbelo en el recuadro.

Antonio Gutiérrez

Reunión con Marta el jueves a las cinco y media.

Comida con José Gómez el .... a las ....

Reunión con Lee (comercial)

Cita con Raúl Iglesias

Reunión con la Sra. Llanos

B. Ahora, escucha las conversaciones y comprueba.

C. Vuelve a escuchar las conversaciones y toma nota del día y de la hora de cada cita.

En España es habitual que los compañeros de trabajo se llamen por el nombre de pila y no por el apellido.

5. EMPRESARIOS

CD 55 **A.** Escucha una entrevista que hacen en la radio al famoso empresario Amado Rico. Ordena estas actividades por orden de aparición.

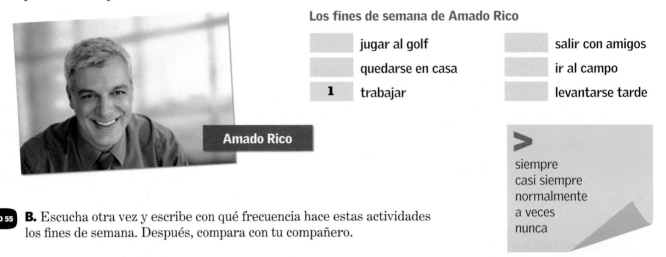

Los fines de semana de Amado Rico

	jugar al golf		salir con amigos
	quedarse en casa		ir al campo
1	trabajar		levantarse tarde

> siempre
> casi siempre
> normalmente
> a veces
> nunca

CD 55 **B.** Escucha otra vez y escribe con qué frecuencia hace estas actividades los fines de semana. Después, compara con tu compañero.

C. ¿Y tú? ¿Qué haces los fines de semana? Escríbelo en un papel indicando con qué frecuencia haces esas cosas. Escribe también alguna actividad que no haces nunca. Después, dale el papel a tu profesor.

D. Tu profesor te va a dar el papel de un compañero. ¿Sabes de quién es?

6. EL FIN DE SEMANA

Un compañero y tú queréis quedar este fin de semana para estudiar español. Primero, piensa en las cosas que tienes que hacer este fin de semana y escríbelo en tu agenda. Luego, buscad un día y una hora para quedar.

Viernes 12	Sábado 13	Domingo 14

iCal

＋ ▦ ⬇ ◄ Día Semana Mes ► Q▾ Eventos y tareas ☰ ✗ ⓘ

● ¿Qué haces este sábado?
● Pues, por la mañana tengo que trabajar y por la noche salgo con unos amigos.
● ¿Podemos quedar por la tarde para estudiar?
● Lo siento, por la tarde tampoco puedo. Es que tengo que hacer unas compras. ¿Qué tal el domingo por la mañana?
● Por la mañana no puedo. Tengo bastantes cosas que hacer. Mejor por la tarde.
● Vale, pues el domingo por la tarde. ¿Qué tal a las cuatro en la cafetería Colón?
● Perfecto.

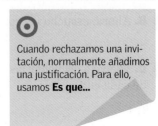

Cuando rechazamos una invitación, normalmente añadimos una justificación. Para ello, usamos **Es que...**

7. ESTRÉS

A. ¿El trabajo o los estudios te provocan estrés? Completa el test con las respuestas de tu compañero. Luego, mira los resultados para descubrir su grado de estrés.

	Sí	No
Piensa que trabaja demasiado.		
Quiere hacer demasiadas cosas en poco tiempo.		
Piensa que tiene demasiadas responsabilidades.		
Está descontento/a con el trabajo que realiza.		
Tiene problemas para organizar su tiempo.		
Piensa que su lugar de trabajo es incómodo.		
Tiene conflictos con compañeros o con jefes.		
Se toma mal las críticas constructivas.		
Tiene una actitud negativa en el trabajo.		
Come demasiado, poco o mal.		
Desayuna poco.		
Toma más de dos cafés al día.		
Fuma o bebe alcohol con frecuencia.		
Duerme poco.		

Resultados

De **12 a 14** respuestas afirmativas: tiene muchísimo estrés.

De **9 a 11** respuestas afirmativas: tiene mucho estrés.

De **6 a 8** respuestas afirmativas: tiene bastante estrés.

De **3 a 5** respuestas afirmativas: tiene un poco de estrés.

Menos de 3 respuestas afirmativas: no tiene estrés.

● ¿Crees que trabajas demasiado?
● Sí.
● ¿Cuántas horas trabajas?
● Muchas, unas doce al día.
● ¿Y los fines de semana?
● Los fines de semana también trabajo, pero menos.

B. Ahora, dale consejos a tu compañero teniendo en cuenta sus respuestas.

● Tienes que organizar mejor tu tiempo y descansar los fines de semana. También tienes que...

8. QUEDAR POR TELÉFONO

A. Dos compañeros y dos directivos de una consultora tienen que verse para hablar de unos asuntos. Lee las conversaciones y complétalas con las frases siguientes.

¿Qué tal?

mejor por la tarde

¿Qué tal a las cinco y media?

Lo siento mucho

¿Qué tal el viernes?

¿Qué tal el martes?

¿cuándo podemos quedar?

¿Y dónde?

Es que tengo una reunión por la mañana

¿Y qué tal el jueves?

> con + yo = **conmigo**
> con + tú = **contigo**

1. Félix y Agustín

- ¿Sí?
- ¿Está Agustín?
- Sí, soy yo.
- Hola, soy Félix.
- Hola Félix. _____
- Muy bien. ¿Y tú, qué tal?
- Bien, bien, gracias.
- Oye, quería quedar contigo para hablar de Almatel.
- Vale, y _____
- _____
- El martes no puedo. _____ y luego tenemos que presentar un proyecto.
- ¿Y el miércoles?
- El miércoles... ¿A qué hora?
- A partir de las cinco...
- _____
- De acuerdo.
- Muy bien. Entonces nos vemos el miércoles a las cinco y media.
- Exacto. Pues hasta el miércoles.
- Hasta luego.

2. El señor Cobos y la señora Sevilla

- ¿Dígame?
- ¿Sr. Cobos?
- Sí, soy yo.
- Soy Concha Sevilla.
- Sí, ¿dígame?
- Mire, quería hablar con usted del asunto de Cepsa.
- Muy bien. ¿Y cuándo podemos vernos?
- _____
- _____, pero el viernes no puedo. Es que tengo varias reuniones y además tengo que comer con el director.
- _____
- El jueves... ¿Por la mañana?
- No, _____
- De acuerdo. ¿Qué tal a las cinco?
- Muy bien.
- Entonces, nos vemos el jueves a las cinco.
- Sí. _____ ¿En su despacho?
- Sí, de acuerdo. Pues hasta el jueves.
- Hasta entonces, adiós.
- Adiós.

B. Ahora, escucha y comprueba.

En Latinoamérica, al descolgar el teléfono, no se dice **¿Diga?**, **¿Dígame?** o **¿Sí?**, como en España. En México, por ejemplo, se suele decir **¿Bueno?**, en Argentina **¿Hola?** y en Perú, Chile y en América Central, **¿Aló?**

9. CONCERTAR UNA CITA

A. Vamos a trabajar en grupos de tres: A, B y C.

Alumno A

Eres publicista. Quieres hablar con una directiva de Pipse, la Sra. Ramos, sobre una nueva campaña de marketing. Llama por teléfono para concertar una cita con ella. Antes de llamar, prepárate la conversación y escribe:

¿Qué días de esta semana puedes verla?	
¿A qué hora?	
¿Qué días no puedes?	
¿Por qué?	
¿Dónde podéis encontraros?	

Alumno B

Eres la Sra. Ramos, directiva de Pipse. Esperas la llamada de un publicista que quiere reunirse contigo para hablar de una nueva campaña de marketing. Antes de recibir la llamada, prepárate la conversación y escribe:

¿Qué días de esta semana puedes verlo?	
¿A qué hora?	
¿Qué días no puedes?	
¿Por qué?	
¿Dónde podéis encontraros?	

Alumno C

Eres la secretaria de dirección de Pipse. Alguien va a llamar por teléfono y va a preguntar por tu jefa, la Sra. Ramos. Antes de recibir la llamada, prepárate la conversación y escribe:

¿Está en la oficina?	
Si no está, ¿por qué?	
¿Está ocupada?	

B. Ahora, podéis representar la situación espalda con espalda. Después, cambiad los papeles. Podéis grabarlo.

Pipse, ¿dígame?

Buenos días. ¿Está la Sra. Ramos?

Tarea

REUNIONES DE EQUIPO

A. En grupos de tres. Trabajáis en IB, una importante cadena de agencias de viajes y hoteles de las Islas Baleares. Cada uno elige uno de estos cargos y, después, lee las cosas que tiene que hacer esta semana.

1 Jefe de equipo (agentes comerciales)	2 Director comercial (agencias de viaje)	3 Director comercial (hoteles)
Reunión con el equipo	Cita con la aseguradora	Partido de tenis
Cita con Juan, de Iberia	Golf	Cita con el abogado
Partido de *paddle*	Cena con el Sr. Ramírez	Comida con los señores Fuggi
Comida con Ángel, de Eurotout	Entrevista con la nueva secretaria	Reunión con el director adjunto
Cita con el dentista	Cita con el oculista	Cita con Ángel Amorós de IFM
Conferencia	Reunión con el director general	Cita con el médico

B. Ahora, busca un día y una hora para hacer todas estas cosas y escríbelo en tu agenda. Si quieres, también puedes añadir otras cosas.

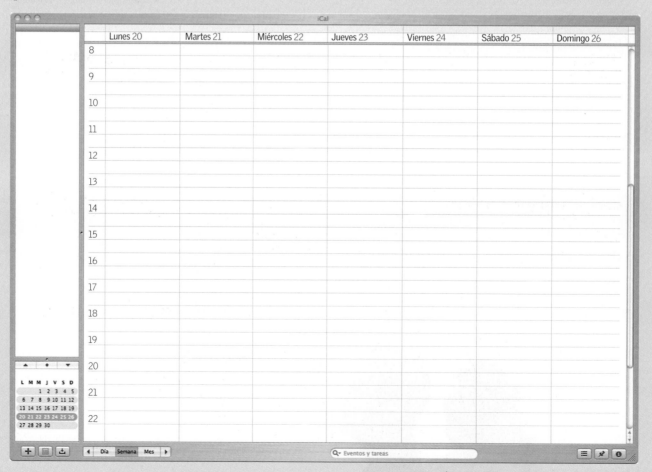

C. Esta semana tenéis que hacer una serie de cosas juntos. Lee el correo electrónico, la invitación y las notas. Luego, habla con tus compañeros y buscad un día y una hora para hacer estas cosas juntos. Vosotros elegís si vais a utilizar **vosotros** o **ustedes**. Cada uno toma notas en su agenda. Si queréis, podéis grabar la conversación.

Asunto: viaje Sr. Wagner
Para: direc_comerciales@ib.es, direc_viajes@ib.es, direc_hoteles@ib.es

----

Estimados compañeros:

Os confirmo el viaje del Sr. Wagner. Llega de Bonn el viernes. Carlos y Lucía, del Departamento de Comunicación, han preparado un programa para su estancia. ¿Podéis visitar vosotros con él Palma y sus alrededores este fin de semana?

Saludos.

Mario Hernández Cuesta
Director adjunto
IB

INVITACIÓN

Fetur
FERIA DE TURISMO
Palma de Mallorca

**Abierto de jueves a domingo
Horario: de 9:00 a 20:00 h**

Reunión para hablar de GOOD FOOD (*catering*)

Reunión con Emilio Arcos de Europa Air

Visita al Hotel Luna (posible compra)

¡Importante! Hacer el balance anual

¿Cuándo podemos reunirnos con Emilio Arcos?

¿Qué tal el jueves por la mañana?

Yo, el jueves no puedo; tengo que hablar con el abogado y...

8

Citas y reuniones

En esta unidad vamos a elegir un restaurante y un día para celebrar una comida de empresa.

Para ello vamos a aprender:
- El verbo **gustar**
- Los pronombres de Objeto Indirecto
- Las fechas
- A expresar una opinión
- A hablar de gustos
- A expresar coincidencia y no coincidencia: **a mí, también, a mí, tampoco**…
- A expresar preferencias
- A invitar y a proponer algo: **¿por qué no…?, ¿y si…?**
- A aceptar y a rechazar invitaciones o propuestas
- A hablar sobre hábitos alimentarios
- Expresiones útiles en el restaurante
- Los nombres de los meses

1. INVITACIONES

A. En una oficina, unas personas invitan a otras. Escucha y señala en cada caso si aceptan o rechazan la invitación.

B. Ahora, escucha otra vez y escribe cómo responden a la invitación.

1	
2	
3	
4	
5	
6	

2. UN BUEN AMBIENTE DE TRABAJO

A. Rosa María Obiols, Alberto Cuadrado, Graciela Gallego y Antonio García trabajan en la misma empresa. En grupos de cuatro, decidid quién de vosotros es Rosa María, Alberto, Graciela y Antonio. Luego, completad individualmente vuestra agenda de esta semana. Aquí tenéis algunas posibles actividades.

| Rosa María | Alberto | Graciela | Antonio |

ir a cenar
ir a tomar algo
jugar un partido de *paddle*
ir a una conferencia

ir de compras
ir a ver un partido de fútbol
ir a bailar
ir a una fiesta de cumpleaños

ir al teatro
ir a comer
ir a una exposición de pintura
ir al cine

	Lunes	**Martes**	**Miércoles**	**Jueves**	**Viernes**	**Sábado**	**Domingo**
Mañana (09:00-13:00)	**trabajo**	**trabajo**	**trabajo**	**trabajo**	**trabajo**		
Mediodía (13:00-15:00)							
Tarde (15:00-19:00)	**trabajo**	**trabajo**	**trabajo**	**trabajo**	**trabajo**		
Noche (19:00-00:00)							

B. Ahora, individualmente decidid qué actividades queréis hacer con cada uno de los compañeros. Invítalos. Ellos también te van a invitar a ti. Si no quieres ir, justifícalo.

● Rosa María, ¿te apetece ir a cenar el miércoles por la noche?
● Lo siento, no puedo. Es que el miércoles voy al teatro.
● Ah, vale. ¿Y el jueves?
● Lo siento, el jueves tampoco puedo. Tengo una fiesta de cumpleaños.

3. UNA CENA DE NEGOCIOS

A. Imagina que tienes que invitar a cenar a unos clientes extranjeros muy importantes. ¿Qué características crees que tiene que tener el restaurante que elijas? Márcalas y, luego, coméntalo con tus compañeros.

☐ tener música de fondo   ☐ aceptar tarjetas de crédito   ☐ tener un salón privado   ☐ ser de lujo

☐ ofrecer comida vegetariana   ☐ ser típico del país   ☐ ser acogedor   ☐ ser silencioso

☐ tener un servicio excelente   ☐ estar en las afueras   ☐ estar en el centro   ☐ ser barato

☐ estar abierto hasta muy tarde   ☐ tener conexión a Internet   ☐ tener buenos vinos   ☐ ser moderno

B. El director comercial de una empresa tiene una importante cena de negocios con un cliente. Como lleva poco tiempo en Madrid, no conoce muchos sitios. Ha consultado una guía de restaurantes y ha seleccionado estos tres. Lee los textos y, luego, escribe el nombre del restaurante al lado de su descripción.

VÍA 59
Dirección: Gran Vía, 59
Horario: de 12:00 a 00:00 h. Cierra los domingos.

Características: restaurante de diseño en pleno centro de Madrid. Tiene dos ambientes: uno, más lujoso y silencioso, y el otro, moderno y con buena música. Exposición permanente de pintores contemporáneos en las dos salas. Cocina mediterránea a base de arroces, ensaladas y pastas.
Bodega: vinos jóvenes de diferentes regiones. Gran selección de vinos y cavas catalanes. **Precios:** excelente relación calidad-precio. Precios especiales para empresas.

PELOTARI
Dirección: Recoletos, 3
Horario: de 13:30 a 16:00 y de 21:00 a 00:00 h.

Características: restaurante especializado en carnes y pescados a la parrilla. Destaca el bacalao al pil-pil, las cocochas de merluza y otros platos tradicionales del País Vasco. Muy acogedor. Gran variedad de postres vascos (panchineta, queso Idiazábal...). Excelente servicio. Salones privados para todo tipo de celebraciones.
Bodega: amplia carta. Gran variedad en vinos de La Rioja y Navarra. Sidra y chacolí. **Precios:** de 20 a 30 €.

LA ALPUJARRA
Dirección: Sol, 15
Horario: de 13:00 a 16:30 y de 20:00 a 00:30 h.

Características: restaurante de cocina andaluza en el centro de la ciudad. Pescaditos fritos (boquerones, chopitos, salmonetes...). Pescados a la sal y al horno (lubina, dorada, besugo...). Carnes rojas (chuletón, solomillo, brocheta...). Postres caseros (arroz con leche, flan con nata...). Excelente servicio.
Bodega: Blancos andaluces y selección de tintos de La Rioja y Ribera del Duero. **Precios:** a la carta, entre 35 y 40 €.

☐   **restaurante que abre hasta después de medianoche**

☐   **restaurante moderno con música y exposiciones de pintura**

☐   **restaurante tradicional vasco**

CD 64   **C.** Ahora, escucha la conversación que mantiene el director comercial con un compañero que le ayuda a elegir un restaurante. Señala los restaurantes de los que hablan.

CD 64   **D.** Escucha otra vez y subraya en los textos la información que oyes.

E. Ahora, elige tú uno de los restaurantes para tu importante cena de negocios y justifícalo.

✳   ● A mí me gusta La Alpujarra porque es típico del país y porque está abierto hasta muy tarde.
    ● Pues yo prefiero el Vía 59 porque está en el centro, porque es moderno y...

4. ACTOS SOCIALES

A. Trabajas en una editorial. Te han llegado dos invitaciones para dos actos sociales. Quieres ir a los dos, pero hay un problema: son el mismo día y a la misma hora. ¿A cuál prefieres ir? ¿Por qué? Coméntalo con tu compañero.

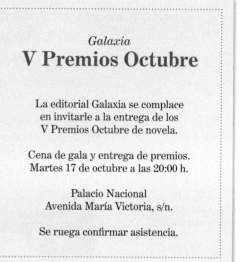

LA NAVE

Querid@s amig@s:

¡Ya tenemos revista!

Y el próximo **día 17 de octubre** la presentamos en sociedad. Una revista para los amantes de la literatura, del cine, de la música y del arte. Lo último y lo mejor. Calidad y vanguardia.

Te esperamos en **La Paloma**, a partir de las **20.00 h**.

¡Feliz vuelo!

La tripulación de **LA NAVE**

Galaxia
V Premios Octubre

La editorial Galaxia se complace en invitarle a la entrega de los V Premios Octubre de novela.

Cena de gala y entrega de premios. Martes 17 de octubre a las 20:00 h.

Palacio Nacional
Avenida María Victoria, s/n.

Se ruega confirmar asistencia.

B. Ahora, confirma la invitación que vas a aceptar y responde a la que no puedes ir.

> Les/Os agradezco mucho su/vuestra invitación...
>
> Me alegra poder confirmar mi asistencia a...
>
> Siento comunicarles/comunicaros que...

5. GUSTOS Y PREFERENCIAS

A. Señala lo que te gusta mucho (++), lo que te gusta bastante (+) y lo que no te gusta nada (–) de tu trabajo o de tus estudios.

trabajar con gente	trabajar en equipo
las reuniones	tener libre el fin de semana
el horario	viajar
trabajar con ordenadores	hacer un trabajo creativo
el café de la máquina	tu sueldo
la sonrisa de tu jefe/a o de tu profesor/ra	comer con los compañeros
tus compañeros	el ambiente del trabajo o de la clase
la presión	la competitividad
la decoración de la oficina o de la clase	la ubicación de la oficina o de la escuela

B. Pregunta a tres compañeros hasta encontrar algo que les gusta mucho de su trabajo o estudios, algo que les gusta bastante y algo que no les gusta nada.

Nombre	Le gusta/n mucho	Le gusta/n bastante	No le gusta/n nada

- ¿Te gusta trabajar con gente?
- Sí, mucho. ¿Y a ti?
- A mí también.

C. Ahora, comenta a la clase lo que sabes de tus compañeros.

- A Martha y a mí no nos gustan nada las reuniones. A João no le gusta nada trabajar con gente, pero a mí me gusta mucho.

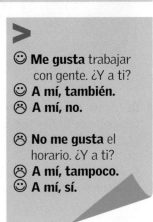

☺ **Me gusta** trabajar con gente. ¿Y a ti?
☺ **A mí, también.**
☹ **A mí, no.**

☹ **No me gusta** el horario. ¿Y a ti?
☹ **A mí, tampoco.**
☺ **A mí, sí.**

6. REUNIÓN ANUAL

Vuestra empresa celebra cada año una reunión con todos los empleados. Tú formas parte del comité organizador. Estos son los tres lugares preseleccionados para este año. En grupos de tres, elegid uno.

Praga, la ciudad de las 100 torres, cuenta con uno de los centros de convenciones más modernos de Europa, dotado de los mayores avances tecnológicos. Sus 50 000 m² albergan 18 pabellones para ferias y congresos, tres restaurantes, dos cafeterías y un auditorio.

En las afueras de **París**, a 45 km de la ciudad y a 15 km del aeropuerto Charles De Gaulle, se levanta este precioso hotel. Rodeado de amplios espacios verdes, dispone de cuatro salas para conferencias, 24 habitaciones, restaurante, cafetería y numerosas instalaciones deportivas.

En pleno centro de **Venecia** encontramos un antiguo palacio del s. XVI rehabilitado para congresos y reuniones de empresa. Situado a solo tres minutos de la Plaza de San Marcos, el palacio dispone de diez salas de reuniones, dos restaurantes y una cafetería para uso exclusivo.

- Yo creo que es mejor el centro de convenciones de Praga.
- ¿Por qué?
- Porque es nuevo, moderno, con mucha tecnología...
- Sí, pero... ¿no es más bonito un palacio antiguo?

7. UN REGALO

A. Mañana es el cumpleaños de Mónica y de Joaquín. Para celebrarlo, van a invitar a sus compañeros de trabajo a tomar algo. Estos piensan hacerles un regalo a cada uno. ¿Qué crees que les van a regalar? Márcalo.

	una agenda		un libro de Stephen King
	una agenda electrónica		un móvil
	un bolígrafo		unos pendientes
	una colonia		una pluma
	una corbata		un reloj
	un cuadro		ropa
	dos entradas de teatro		un rotulador

CD 65 **B.** Ahora, escucha la conversación de sus compañeros de oficina. ¿Qué van a regalarles? ¿Coinciden con los regalos que tú has pensado?

C. ¿Quiénes son los tres próximos compañeros que cumplen años en vuestra clase? En grupos de tres, poneos de acuerdo sobre qué vais a comprarles a dos de ellos y justificadlo.

- A Annette le podemos comprar un libro porque le gusta mucho leer.
- ¿Y por qué no le compramos una caja de bombones? Le encanta el chocolate.
- Sí, buena idea.

8. EN EL RESTAURANTE

A. Russel y Judith estudian en Sevilla y viven con una familia española. Lee estas fichas con sus datos personales y otras informaciones para la familia que les hospeda.

DATOS PERSONALES
Apellido/s: Collins
Nombre: Russell
Nacionalidad: estadounidense
Edad: 23
Lengua/s que habla: inglés, francés y español

ALIMENTACIÓN
¿Sigues algún régimen o dieta? No.
¿Tienes alergia a algún alimento? Tengo alergia a los huevos, a la leche y a los lácteos en general.
¿Hay alguna comida que no te gusta? Las espinacas.
Otros: –

DATOS PERSONALES
Apellido/s: Cohen
Nombre: Judith
Nacionalidad: austriaca
Edad: 20
Lengua/s que habla: alemán, inglés y español

ALIMENTACIÓN
¿Sigues algún régimen o dieta? Soy vegetariana.
No como ni carne ni pescado; huevos, sí.
¿Tienes alergia a algún alimento? Al chocolate.
¿Hay alguna comida que no te gusta? –
Otros: No bebo alcohol.

B. El sábado van a comer a un restaurante. Señala en el menú del día qué platos puede comer cada uno. Si no conoces algún plato, pregunta a tus compañeros.

● ¿Las croquetas llevan huevo?
● Sí, me parece que sí.

Menú
....

Sopa de pescado
Ensalada variada con huevo duro
Espinacas con patatas
Espagueti carbonara
....

Bistec con patatas
Croquetas caseras de jamón
Merluza a la romana
Huevos fritos con patatas y chorizo

Flan con nata
Peras al vino
Macedonia de frutas
Helado
Mousse de chocolate
....

Pan, vino, cerveza o agua
....

10 € (IVA incluido)

C. ¿Qué crees que van a pedir? Escríbelo en el cuadro.

	Russell	**Judith**
De primero		
De segundo		
Para beber		
De postre		

CD 66 **D.** Ahora, escucha la conversación en el restaurante y comprueba si tus suposiciones son correctas.

UNA COMIDA DE EMPRESA

A. Tu empresa quiere celebrar con una comida la adjudicación de un gran proyecto. En grupos de cuatro, haz preguntas a tus compañeros para conocer sus gustos y preferencias. Toma nota de sus respuestas y completa el cuadro. Primero, completa la primera columna con tus gustos. (Si a alguien le gusta algo o lo prefiere, escribe +; si no le gusta, –).

	1	2	3	4
comida vegetariana				
pescado				
marisco				
carne				
cocina tradicional				
cocina moderna				
un lugar sencillo y acogedor				
un lugar elegante				
en la ciudad				
en un pueblo cercano				
con decoración clásica				
con decoración moderna				

- ¿Qué os gusta más: la cocina tradicional o la cocina moderna?
- A mí me gusta más la cocina tradicional.
- A mí también.
- Yo no, yo prefiero la cocina moderna.
- Pues a mí me da igual. Me gusta todo.

B. Ahora, escribid las preferencias o los gustos de vuestro grupo para, después, elegir un restaurante.

Dos personas prefieren la cocina tradicional...

c. Aquí tienes una selección de restaurantes para vuestra comida de empresa. Elegid un restaurante y un día para celebrar la comida.

Comidas de negocios

Seis interesantes propuestas para sus celebraciones y reuniones de empresa

GAUCHOS
Cocina argentina a un precio asequible. Carnes de importación de primera calidad y excelente servicio. El establecimiento cuenta con pequeños salones privados para 4-6 personas. Precio medio alrededor de 20 €.

LA MAREA BAJA
Un local espacioso y elegante que imita el interior de un barco. Cocina creativa en un ambiente moderno. Pescado y marisco de primera calidad. Precio medio alrededor de 50 €. Abierto de lunes a domingo.

NATURAL
Cocina vegetariana y de fusión. Carta con más de 80 platos. La mayoría de los productos son de cultivo ecológico. Buen servicio. Precio medio entre 20 y 30 €. Menú de mediodía: 9 €. Abierto todos los días.

EL HORNO UNIVERSAL
Cocina de toda la vida en un entorno rural: pescados, mariscos, carnes, etc. El restaurante tiene una magnífica bodega y dispone de una agradable terraza para el verano. Precio medio entre 45 y 55 €.

MAMMA MIA
Cocina casera italiana en un ambiente agradable. Carta extensa: pizzas, ensaladas, carpaccios, pastas, pescados, carnes, etc. Precio medio entre 15 y 25 €. Menú de mediodía: 11 €. Cierra los lunes a mediodía.

ASADOR CANTABRIA
Clásico asador con una oferta variada de carnes y pescados de excelente calidad y buenos postres. Salones privados. Precio medio alrededor de 40 €. Cierra los domingos, los festivos y en agosto.

 ● Yo creo que podemos ir al Natural, porque tienen comida vegetariana y a dos de nosotros no nos gusta la carne.
● ¿Y qué día vamos?

9

Productos y proyectos

En esta unidad vamos a desarrollar un nuevo producto y a presentarlo en público.

Para ello vamos a aprender:
- El Gerundio
- **Estar** + Gerundio
- Los pronombres de Objeto Directo: **lo, la, los, las**
- La posición de los pronombres de Objeto Directo
- Los marcadores temporales de futuro: **mañana, el próximo..., el ... que viene, dentro de...**
- La preposición **en** como marcador temporal
- A hablar de planes: **ir a** + Infinitivo
- A comparar: **más/menos** + adjetivo + **que, tan** + adjetivo + **como, igual de** + adjetivo + **que**, etc.
- A describir un objeto: material, función, precio, etc.
- A expresar una hipótesis: **seguro que, me imagino que, a lo mejor, quizá...**
- Los colores

1. PUBLICIDAD

A. Fíjate en estos cuatro anuncios. ¿Qué productos están anunciando?

LENCIA Z

Tu coche es Lencia Z
Solo tienes que
elegir el color

negro	naranja	azul claro	rosa	verde	rojo	amarillo	marrón
■	■	■	■	■	■	■	■

FONOSONIC

Los nuevos teléfonos **FONOSONIC** dan color a tu vida

Tú decides el color, tú decides los extras

fotografías   vídeo   radio   Internet   bluetooth   e-mail

AUBI 70

Inconfundible

Aubi 70

Por su diseño
Por su seguridad
Por su interior
Por sus prestaciones
Por su bajo consumo

Y ahora, además, por su precio...
irresistible

Disponible en blanco, negro, gris, rojo, azul oscuro y naranja

MOVITEL

Para ahorrar hasta un 75% en las llamadas de su empresa

movitelenlace

900 207 207
llamada gratuita

 ● El primer anuncio es de un coche, un Lencia Z, que puede ser de muchos colores.

CD 67-69

B. Ahora, escucha estas conversaciones y anota en el cuadro de qué producto están hablando en cada caso. Luego, coméntalo con tu compañero.

	Producto
1	
2	
3	

2. PROYECTOS DE EMPRESA

A. Aquí tienes varios fragmentos que pertenecen a tres artículos sobre tres empresas: Wolswagen, Almatel y Reflon. Léelos y, con la ayuda de las imágenes, intenta agrupar los fragmentos.

1

La empresa de automóviles **Wolswagen** va a presentar nuevos modelos para la próxima campaña.

2

Almatel, empresa líder en el sector de las telecomunicaciones, está vendiendo un 15% más que el año pasado.

3

El próximo verano, **Reflon**, empresa del sector de electrodomésticos, va a abrir una nueva fábrica.

4

Están haciendo entrevistas para el Departamento de Publicidad.

5

Sus ingenieros están diseñando un nuevo modelo de coche.

6

La empresa está produciendo una media de 180 000 teléfonos móviles al año.

7

El Departamento de Marketing y Publicidad está preparando la presentación de un nuevo coche familiar.

8

El Departamento de Investigación está desarrollando en la actualidad un proyecto de telecomunicaciones.

9

La empresa está ampliando su plantilla.

Wolswagen

Almatel

Reflon

B. Ahora, compara con tu compañero.

● Yo creo que Wolswagen está diseñando un nuevo modelo de coche.
● Sí, y también está...

C. Escucha y comprueba tus hipótesis.

3. PLANES PARA EL FUTURO

A. Electroshock es una empresa que produce componentes electrónicos. Su director tiene algunas ideas para este año. En su mesa hay estos seis folletos. ¿Qué crees que van a hacer? ¿Cuándo? ¿Por qué? Debajo de los folletos tienes algunas posibilidades. Coméntalo con tu compañero.

presentar la empresa en el mercado americano
comprar alguna empresa del sector
cambiar los ordenadores de la empresa
comprar nuevas impresoras
formar a los trabajadores nuevos
escribir un libro sobre técnicas de venta

mejorar el nivel de inglés del Departamento de Exportación
mejorar el nivel de inglés de los directivos
abrir una sucursal en las Islas Canarias
trasladar la empresa a Santa Cruz de Tenerife
comprar más coches para la empresa
cambiar los coches de la empresa

- Me imagino que en mayo van a ir a México a una feria de electrónica, quizá para introducirse en el mercado latinoamericano o a lo mejor para comprar alguna empresa del sector.
- No sé... A lo mejor van a México solo porque quieren conocer el mercado de ese país y hacer algunos contactos.

CD 73-78

B. Ahora, escucha a algunos directivos y empleados de Electroshock y completa el cuadro.

	¿Qué van a hacer?	¿Cuándo?	¿Dónde?	¿Por qué?
1	Van a ir a...			
2				
3				
4				
5				
6				

4. OBJETOS DE USO COMÚN

A. Aquí tienes unas fotos de objetos que usamos frecuentemente. ¿Sabes qué objetos son? Escríbelo. Puedes preguntar a tus compañeros o a tu profesor.

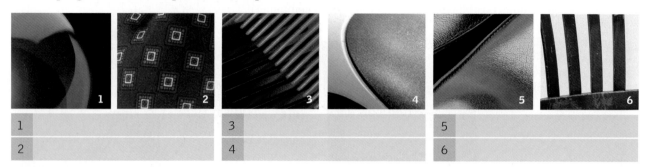

1	3	5
2	4	6

● Me imagino que esto es una bombilla
● No sé. A lo mejor es un vaso.
● No, no. Yo creo que es una bombilla.

B. Si todavía no sabes qué objetos son, las definiciones siguientes te van a ayudar a reconocerlos. Relaciónalas con los objetos del apartado anterior.

☐ Es de cristal y de metal. Sirve para dar luz. Es un objeto muy frágil. No cuesta mucho dinero.

☐ Es de plástico. Tiene el nombre de un animal, pero no lo es. Sirve para trabajar con el ordenador. Lo usamos para hacer clic.

☐ Sirve para ir elegante. Es de tela, muchas veces de seda. Se vende en tiendas de ropa y puede ser muy cara. Es una prenda de vestir necesaria para un hombre de negocios.

☐ Los compramos por pares. Tienen precios muy diferentes según la calidad y la marca. Normalmente son de piel. Se venden en zapaterías.

☐ La estructura es de madera, metal o plástico. Es un mueble básico en una casa o en una oficina. Sirve para sentarse y se vende en tiendas de muebles.

☐ No cuesta mucho. Es un objeto pequeño. Normalmente lo tenemos en casa, en el cuarto de baño, pero también en el bolso o en el bolsillo. Sirve para peinarse y normalmente es de plástico. Los calvos no lo necesitan.

C. Ahora, piensa en un objeto y reúne toda la información o vocabulario que necesites para describírselo a tu compañero. Él o ella va a hacer lo mismo. Intenta adivinar el objeto que ha pensado tu compañero. Utiliza preguntas como: ¿de qué material/color es?, ¿para qué sirve?, ¿lo usas mucho/poco?, ¿lo tienes en casa?, ¿es grande/pequeño?, etc.

● ¿De qué material es?
● Es de tela y tiene una parte de metal o de madera.
● ¿De qué color es?
● Puede ser de muchos colores.
● ¿Para qué sirve?
● Sirve para protegerse de la lluvia.
● ¿Es un paraguas?
● ¡Sí!

Es de + material
Sirve para + función

5. EL MEJOR PRODUCTO

A. ¿Qué aspectos son importantes para ti a la hora de elegir un coche? Márcalos. Luego, coméntalo con dos compañeros.

La estética (elegante, moderno, funcional, deportivo...)	El motor (potente, de gasolina, diesel, turbo...)
El tamaño (pequeño, grande, de tres o cinco puertas...)	La garantía (de seis meses, de un año, de tres años...)
El precio (caro, económico)	El consumo (bajo, medio, alto)
La marca (conocida, prestigiosa, europea, japonesa...)	Los extras (TV, MP3, navegador...)

● Para mí es muy importante el motor. Me gustan los coches potentes.
● Sí, pero también es muy importante el precio y el consumo.
● Pues para mí es muy importante la estética. Me gustan los coches modernos y elegantes.

B. Ahora, imagina que trabajas como comercial y que necesitas un coche para hacer las visitas a tus clientes. ¿Qué coche prefieres? ¿Por qué? Toma notas en tu cuaderno.

AUDI A6 2.0 TFSI
Precio: 37 000 €

Carrocería: Berlina, 4/5 puertas
Dimensiones: 491,5 cm de largo, 185,5 cm de ancho, 146 cm de alto
Potencia: 170 caballos
Motor: 4 cilindros, 1984 cm³
Velocidad máxima: 227 km/h
Consumo medio: de 6,2 a 10,8 litros cada 100 km

FORD FIESTA 1.3
Precio: 11 500 €

Carrocería: Urbano, 3/5 puertas
Dimensiones: 391,5 cm de largo, 168 cm de ancho, 146 cm de alto
Potencia: 70 caballos
Motor: 4 cilindros, 1299 cm³
Velocidad máxima: 160 km/h
Consumo medio: de 4,9 a 8,1 litros cada 100 km

RENAULT SCÉNIC 1.6
Precio: 18 000 €

Carrocería: Monovolumen, 5 puertas
Dimensiones: 426 cm de largo, 181 cm de ancho, 162 cm de alto
Potencia: 113 caballos
Motor: 4 cilindros, 1390 cm³
Velocidad máxima: 174 km/h
Consumo medio: de 5,9 a 9,7 litros cada 100 km

SEAT TOLEDO 1.6
Precio: 19 500 €

Carrocería: Berlina, 5 puertas
Dimensiones: 446 cm de largo, 177 cm de ancho, 157 cm de alto
Potencia: 102 caballos
Motor: 4 cilindros, 1595 cm³
Velocidad máxima: 181 km/h
Consumo medio: de 6,7 a 10,4 litros cada 100 km

SMART FORFOUR 1.1
Precio: 13 000 €

Carrocería: Urbano, 5 puertas
Dimensiones: 375 cm de largo, 168,5 cm de ancho, 145 cm de alto
Potencia: 75 caballos
Motor: 3 cilindros en línea, 1124 cm³
Velocidad máxima: 165 km/h
Consumo medio: de 4,4 a 6,8 litros cada 100 km

SUZUKI JIMNY 1.3
Precio: 13 500 €

Carrocería: Todoterreno, 3 puertas
Dimensiones: 364,5 cm de largo, 160 cm de ancho, 170 cm de alto
Potencia: 85 caballos
Motor: 4 cilindros, 1328 cm³
Velocidad máxima: 140 km/h
Consumo medio: de 6,2 a 9,3 litros cada 100 km

C. Tienes que compartir el coche con otros dos comerciales. Habla con ellos para decidir qué coche compráis.

● A mí me gusta el Ford Fiesta. Es bonito y bastante económico.
● Sí, pero el Smart Forfour gasta menos.
● Pues yo prefiero el Renault Scénic. Es más caro, pero también es más rápido y más grande.

6. VIDA PROFESIONAL Y VIDA PRIVADA

A. Escribe el nombre de algunas personas importantes para ti. Pueden tener relación con tu vida profesional o con tu vida privada.

Vida profesional	Vida privada

B. Ahora, imagina qué están haciendo en este momento esas personas y escríbelo en un papel (¡pero no escribas los nombres!).

Me imagino que ahora está comiendo y hablando de negocios. O a lo mejor está tomando un café.

C. Dale el papel a tu compañero y deja que se fije en los nombres que has apuntado. Tiene que descubrir quién está haciendo cada una de esas cosas. Para ello, primero va a hacerte preguntas para saber más sobre esas personas.

- ¿Quién es Peter?
- Es mi hermano.
- ¿Y a qué se dedica?
- Tiene una agencia de publicidad en Buenos Aires.
- Ah, entonces, seguro que trabaja mucho.
- Sí, bastante.
- ¿Y en este momento crees que está comiendo y hablando de negocios?
- Sí, o a lo mejor está tomando un café.

7. PLANES Y EXPERIENCIAS

A. Piensa qué cosas estás haciendo o vas a hacer este mes y escríbelas.

Cosas que estoy haciendo	Cosas que voy a hacer

B. Ahora, comenta tus notas con tu compañero.

- Estoy buscando un despacho de alquiler.
- ¿Por qué? ¿Os vais a trasladar?
- Sí, es que necesitamos más espacio.

- ¿Vas a ir al Museo Guggenheim?
- Sí, es que estoy haciendo un trabajo sobre arquitectura contemporánea.
- ¡Qué interesante!

8. ESPIONAJE INDUSTRIAL

CD 79

A. Trabajáis en la famosa empresa de refrescos Cocu Col. La competencia, Pipse, va a lanzar al mercado una nueva bebida: "Pipse Pasión". Los servicios secretos de Cocu Col han conseguido grabar una reunión confidencial de Pipse. Escucha la grabación de la reunión y recoge toda la información que puedas sobre la nueva bebida. Márcalo.

1 ¿Va a ser con gas o sin gas?				
2 ¿Cuándo va a salir?				
3 ¿De qué color va a ser?				
4 ¿A qué tipo de público va dirigida?				
5 ¿Dónde la van a promocionar?	Bar	Discoteca	Supermercado	Universidad
6 ¿Dónde la van a distribuir?				
7 ¿En qué medios de comunicación van a hacer la publicidad?				
8 ¿Qué envase va a tener?				

B. En parejas, intentad reconstruir la información que habéis escuchado.

● Van a lanzar un refresco con gas.
● Y van a distribuirlo en...

C. Ahora, pensad en un producto que puede hacer competencia a la nueva bebida de Pipse. Tomad notas para después explicárselo a la clase.

● Podemos hacer una bebida sin azúcar, de color azul, por ejemplo.
● Sí, buena idea. Podemos llamarla "Blueps".

9. FERIA DEL GOURMET

A. Esta semana, del jueves 11 al domingo 14, vuestra empresa, Catering Hepburn, va a estar presente con un stand en la Feria del Gourmet de Valencia. Vamos a trabajar en parejas: A y B. Los dos tenéis que estar en el stand pero también tenéis otros asuntos previstos para esos días. Preparad cada uno vuestra agenda.

Alumno A	**Alumno B**
Sabes que:	**Sabes que:**
– El jueves por la tarde vas a visitar a un cliente a Sevilla. – El viernes por la mañana vas a firmar el contrato para los Premios Goya. – El domingo por la mañana tienes una entrevista con un posible cliente.	– El jueves por la mañana tienes una reunión importante con el gerente. – El viernes vas a estar todo el día en París, en otra feria. – El sábado vas a comer con tu jefe y con unos clientes mexicanos y después vais a visitar una fábrica.

B. Habla con tu compañero para saber si entre los dos podéis atender el stand de la empresa los cuatro días o si vais a necesitar a otra persona.

● Yo puedo estar el jueves por la mañana, pero por la tarde no porque voy a Sevilla a visitar a un cliente.
● Vale, porque yo no puedo estar por la mañana porque tengo una reunión, pero puedo estar por la tarde.

C. Ahora, si necesitáis ayuda, escribid un correo electrónico al colega que va a sustituiros en el stand.

> Hola, ¿qué tal estás? Nosotros, como siempre, tenemos mucho trabajo. Como sabes, esta semana ....
>
> ....
>
> ....
>
> ....
>
> ¿Crees que puedes sustituirnos tú? Necesitamos una respuesta lo antes posible.
>
> Un abrazo.

UN NUEVO PRODUCTO

A. Vamos a trabajar en grupos de tres. Formáis parte del equipo de I+D (Investigación y Desarrollo) de una importante empresa del sector de la electrónica y las telecomunicaciones. Hoy tenéis una reunión de equipo para desarrollar un nuevo producto. Antes de la reunión piensa qué producto vas a proponer tú. Escribe unas notas sobre sus características y ventajas. Si quieres, puedes hacer un dibujo.

B. Explica tu propuesta a tus compañeros y justifícala. ¿Qué les parece?

 ● Es un teléfono móvil que traduce automáticamente lo que dices a otras lenguas.
  Yo creo que es muy útil, por ejemplo, para hacer negocios en China, en la India...
  ● Sí, pero me imagino que va a ser complicado técnicamente de producir.
  ● Ya, pero seguro que se va a vender muy bien.

C. Ahora, entre los tres, decidid qué producto vais a presentar.

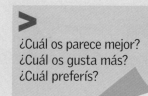
¿Cuál os parece mejor?
¿Cuál os gusta más?
¿Cuál preferís?

● ¿Cuál os gusta más?
  ● A mí me gusta mucho el móvil.
  ● Pues yo prefiero el producto de Sara. Es más original que el otro.

D. Completad la ficha técnica con la información de vuestro producto para el Departamento de Producción.

Nombre del producto: ....

Descripción y utilidad: ....

....

Materiales: ....

Colores: .... Tamaño: ....

Destinatarios: ....

Precio de venta al público: .... Fecha de lanzamiento: ....

E. Ahora, presentad el producto a vuestros compañeros de clase. Si queréis, podéis grabar la presentación. Después, entre todos, vais a elegir por votación qué producto merece alguno de estos premios.

PREMIO INNOVA	**PREMIO PRAXIS**	**PREMIO ECO**	**PREMIO RENTA**

el producto más innovador	el producto más práctico	el producto más ecológico	el producto más económico

 ● Nosotros estamos trabajando en un producto que se va a llamar "Mex-3". Es un aparato que sirve para...

95

10

Claves del éxito

En esta unidad vamos a decidir cuáles son las medidas más urgentes que debe adoptar una empresa que está en crisis.

Para ello vamos a aprender:
- El Pretérito Perfecto
- La formación del Participio
- Marcadores con Pretérito Perfecto: **hoy, este mes, alguna vez, nunca, ya, todavía no...**
- Algunos conectores: **debido a, porque, por eso, en consecuencia, en cambio, pero, sin embargo**
- A expresar necesidad u obligación: **tener que** + Infinitivo, **hay que** + Infinitivo
- A hablar de hechos pasados y a valorarlos
- A expresar acuerdo o desacuerdo
- A valorar con el superlativo: **lo más/menos importante...**

1. ASPIRACIONES PROFESIONALES

A. ¿Qué es lo más importante para ti en un trabajo? Numera estos aspectos del 1 (lo más importante) al 6 (lo menos importante).

 asumir responsabilidades

tener posibilidades de promoción

disfrutar de buenas condiciones económicas

formar parte de una gran empresa

tener un puesto de trabajo estable

recibir formación continua

B. Comenta con tus compañeros tus preferencias.

- Para mí, lo más importante es tener posibilidades de promoción. No me gusta hacer siempre lo mismo.
- Pues, para mí, lo más importante es tener un puesto de trabajo estable.

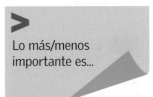

Lo más/menos importante es...

C. Ahora, haz este test para averiguar cómo te gusta trabajar.

1. ¿En qué tipo de proyectos te gusta más trabajar?

a) En grandes proyectos y de larga duración.

b) En pequeños proyectos y de menor duración.

c) En todo tipo de proyectos.

2. ¿Cómo te gusta trabajar?

a) Individualmente.

b) Con otro compañero.

c) En equipos de tres o cuatro personas.

3. En cuanto al ritmo de trabajo, ¿qué te gusta más?

a) Trabajar con presión.

b) Trabajar con un poco de presión.

c) Trabajar sin prisas ni agobios.

4. Para tener una reunión de trabajo, ¿qué momento del día te gusta más?

a) A primera hora de la mañana.

b) A media tarde.

c) A última hora de la tarde.

5. Si tienes que dedicar a un proyecto más tiempo del previsto, ¿qué prefieres?

a) Empezar más temprano por las mañanas.

b) Terminar más tarde.

c) Dedicarle también los sábados.

D. Busca tres compañeros con características parecidas a las tuyas para crear un buen equipo.

- ¿En qué tipo de proyectos te gusta más trabajar?
- En grandes proyectos y de larga duración. ¿Y a ti?
- A mí, también. Y me gusta trabajar individualmente. ¿Y a ti?
- A mí, no. Prefiero trabajar en equipo.

2. GRÁFICOS Y BALANCES

A. ¿Cuáles de estas cosas crees que son positivas y cuáles negativas para una empresa? Comenta con tu compañero por qué.

	+	−		+	−
1. Incrementar la facturación			5. Tener un balance positivo		
2. Reducir la plantilla			6. Parar la producción		
3. Disminuir las ventas			7. Aumentar los beneficios		
4. Controlar los gastos			8. Cerrar una fábrica		

- Incrementar la facturación es positivo para una empresa porque significa que ha vendido más.
- Sí, claro.

B. Una revista de economía ha recogido en sus páginas los balances de diferentes empresas. Lee y relaciona cada texto con su gráfico correspondiente.

1

Este año la producción de instrumentos musicales se ha mantenido en un 20% pero la de productos electrónicos ha disminuido. La producción de juguetes, sin embargo, ha aumentado debido a la creciente demanda del mercado asiático.

2

Por primera vez en su historia, una de sus factorías no ha parado su producción en agosto. Y aunque solo ha trabajado uno de los tres turnos, ha producido en un mes 27 000 vehículos (solo 33 000 menos que en un mes normal).

3

Dentro de su política de control presupuestario, ha reducido sus gastos de explotación respecto al año anterior. Además, de enero a diciembre ha reducido su plantilla en 212 empleados: 115 hombres y 97 mujeres.

4

El beneficio de la empresa se ha situado en el cuarto trimestre en los 7,5 millones de euros, lo que representa un aumento del 24% respecto al trimestre anterior. Las ventas anuales, en cambio, han aumentado solo un 10%.

PALPARO S.A. personal contratado

diciembre	404 / 608
noviembre	415 / 615
octubre	430 / 632
septiembre	449 / 643
agosto	454 / 650
julio	460 / 650
junio	476 / 670
mayo	484 / 700
abril	490 / 705
marzo	492 / 710
febrero	501 / 719
enero	501 / 723

0 200 400 600 800

A ■ mujeres ■ hombres

Producción total de ARTIMAX

este año

año anterior

B ■ juguetes ■ productos electrónicos ■ instrumentos musicales

Producción de vehículos de CEAT

70 000
60 000
50 000
40 000
30 000
20 000
C 10 000   E F M A M J J A S O N D

Balance anual de PAPELINAX

10 ┐ millones de euros
8
6
4
2
D 0   EFM AMJ JAS OND

3. CLAVES DEL ÉXITO

A. Este artículo, publicado en una revista de negocios, define cuáles son las claves para tener éxito en una empresa de nueva creación. Lee y señala los tres puntos que tú consideras más importantes.

empresa

Marta Ventas
Dueña de la cadena
de tiendas de moda
NOVA+

NOVA+ constituye un caso ejemplar de éxito empresarial. Marta Ventas, dueña de esta cadena de tiendas de moda, resume para nuestra revista las bases de su éxito y de su cultura empresarial.

LAS 7 CLAVES PARA ALCANZAR EL ÉXITO

- Controlar los gastos.
- Conocer bien a los consumidores y el mercado.
- Hacer una buena campaña de marketing.
- Contar con buenos profesionales.
- Aportar algo nuevo al mercado.
- Disponer de un gran capital inicial.
- Ofrecer un precio competitivo.

B. Ahora, en pequeños grupos, cada uno expone su opinión. ¿Coincidís?

- Para mí, primero, es importante conocer a los consumidores. Luego, disponer de un gran capital inicial y, por último, contar con buenos profesionales.
- Pues para mí, lo más importante es hacer una buena campaña de marketing; después, contar con buenos profesionales, y por último, controlar los gastos.
- Entonces estamos de acuerdo en una cosa.

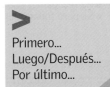
Primero...
Luego/Después...
Por último...

CD 80

C. Vas a escuchar una entrevista en la que Marta Ventas destaca los tres aspectos que ella considera más importantes para tener éxito. Anótalos en este cuadro y, luego, comprueba si coincides con ella.

LAS CLAVES DEL ÉXITO SEGÚN MARTA VENTAS	
1	
2	
3	

4. LA AGENDA DE HOY

A. Son las 9 de la mañana y Mila Ortín, secretaria de la editorial Espriu, tiene muchas cosas que hacer. Comenta con tu compañero qué necesita en cada caso: llamar por teléfono, usar el ordenador o salir de la oficina.

17 OCTUBRE	Jueves
Meter los nuevos números de teléfono en la base de datos.	Terminar el informe sobre Líber.
Enviar un correo electrónico a Klett.	Ir al banco.
Llamar a Javier Marías.	Recoger el paquete en Correos.
Organizar el viaje a Frankfurt.	Encontrar un profesor de ruso para el Sr. Sanchís.
Preparar la reunión de Administración.	Reservar mesa en el restaurante.

* ● Para meter los nuevos teléfonos en la base de datos, necesita el ordenador.

CD 81 **B.** Unas horas más tarde Mila recibe una llamada del director de Administración. Escucha la conversación y marca las cosas que ha hecho. Después, coméntalo con tu compañero.

☐ Ha metido los nuevos números de teléfono en la base de datos.
☐ Ha enviado un correo electrónico a Klett.
☐ Ha llamado a Javier Marías.
☐ Ha organizado el viaje a Frankfurt.
☐ Ha preparado la reunión de Administración.

☐ Ha terminado el informe sobre Líber.
☐ Ha ido al banco.
☐ Ha recogido el paquete en Correos.
☐ Ha encontrado un profesor de ruso para el Sr. Sanchís.
☐ Ha reservado mesa en el restaurante.

* ● Ha recogido el paquete en Correos.
  ● Sí, pero todavía no ha terminado el informe sobre Líber.

CD 81 **C.** Escucha la conversación otra vez y, con ayuda de estos dibujos, descubre por qué todavía no ha hecho algunas cosas. Coméntalo con tu compañero.

* ● Todavía no ha metido los números de teléfono en la base de datos porque el ordenador no funciona.

5. ¿QUIÉN ES QUIÉN?

Los jefes de cuatro departamentos de una empresa de construcción están preparando la reunión del lunes. Hoy es jueves por la tarde y todavía no han hecho todo lo que tenían que hacer. Elige a uno de los jefes y cuéntale a tu compañero qué ha hecho ya y qué no ha hecho todavía. Tu compañero tiene que descubrir quién es.

Estudiar el proyecto de reformas.

Ver las propuestas de los años anteriores. ✓

Hacer el plan de trabajo. ✓

Repasar el documento "Futuras adquisiciones". ✓

Redactar la nueva propuesta. ✓

Escribir el informe de este año.

Jefa de Planificación

Escribir el informe de este año. ✓

Estudiar el proyecto de reformas. ✓

Repasar el documento "Futuras adquisiciones".

Ver las propuestas de los años anteriores. ✓

Redactar la nueva propuesta.

Hacer el plan de trabajo. ✓

Jefe de Formación

Jefa de I+D

Hacer el plan de trabajo. ✓

Repasar el documento "Futuras adquisiciones".

Ver las propuestas de años anteriores. ✓

Escribir el informe de este año.

Estudiar el proyecto de reformas. ✓

Redactar la nueva propuesta. ✓

Hacer el plan de trabajo. ✓

Ver las propuestas de años anteriores. ✓

Escribir el informe de este año. ✓

Repasar el documento "Futuras adquisiciones". ✓

Estudiar el proyecto de reformas.

Redactar la nueva propuesta.

Jefe de Proyectos

*   ● Ya ha hecho el plan de trabajo pero todavía no ha escrito el informe.
    ● ¿Es la jefa de Planificación?
    ● No.

6. TU BALANCE PERSONAL

A. Piensa en cosas que siempre has querido hacer. Algunas seguro que ya las has hecho, otras quizá no. Escríbelas en un papel.

> acabar la carrera
> tener un hijo
> vivir en el extranjero
> hacer un crucero

B. Ahora, intercambia el papel con tu compañero y descubre qué cosas ha hecho y cuáles todavía no.

● ¿Ya has acabado la carrera?
● No, todavía no, pero la acabo este año.
● ¿Y qué estás estudiando?

7. ¿QUÉ TAL EL DÍA?

A. Son las 9 de la noche y Kim y Roberto ya están en casa. Kim ha tenido un mal día, en cambio, para Roberto ha sido todo lo contrario. ¿A quién crees que le han pasado estas cosas?

Le han subido el sueldo.

Ha discutido con el jefe.

Ha trabajado demasiado.

Han aprobado su proyecto.

El jefe le ha felicitado.

No ha tenido tiempo para comer.

El jefe le ha invitado a comer.

Kim

Roberto

CD 82 **B.** Ahora, escucha la conversación que tienen y comprueba si tus hipótesis son correctas. Coméntalo con tu compañero.

● Kim ha tenido un mal día porque ha discutido con el jefe.

C. Busca en la clase a alguien que ha tenido un buen día (o una buena semana) y descubre por qué.

● ¿Qué tal el día?
● Normal. No he hecho nada especial. ¿Y tú?
● Muy bien. Esta mañana ha venido mi novio de Amsterdam y hemos pasado todo el día juntos.
● ¡Qué bien! ¿Y va a quedarse mucho tiempo?

8. EXPERIENCIAS PROFESIONALES

A. ¿Has tenido estas experiencias alguna vez? Escríbelo.

Cambiar de trabajo.

Sí, varias veces.

Inventar o diseñar un producto.

Salir en la prensa.

Ganar un concurso.

Hacer un buen negocio.

Tener un trabajo de mucha responsabilidad.

Recibir un premio.

Hacer un curso en el extranjero.

Estar de baja.

Salir en la tele.

Ir a un congreso.

Trabajar en el extranjero.

> muchas veces
> varias veces
> dos o tres veces
> una vez
> nunca

B. Ahora, selecciona cinco de las experiencias anteriores y escríbelas en el cuadro. Luego, pregunta a tus compañeros y descubre quién ha hecho más veces esas cosas.

Experiencias	muchas veces	varias veces	dos o tres veces	una vez	nunca

● ¿Has cambiado de trabajo alguna vez?
● Sí, muchas veces.
● ¿Y qué trabajos has tenido?

9. INFORMES Y GRÁFICOS

A. Lee estos cinco informes. ¡Cuidado! Los gráficos no son correctos. Detecta los errores en cada caso.

Inversión en segundas marcas
Este año en Caserasa la inversión en segundas marcas (Surf, Twin, Flash) ha afectado al producto principal, Micasera, que en consecuencia ha contado con un porcentaje inferior de la inversión.

Gastos de explotación
Los gastos de explotación de Tele25 han aumentado en el cuarto trimestre en más de 15 millones de euros. En consecuencia, las pérdidas acumuladas se han incrementado considerablemente.

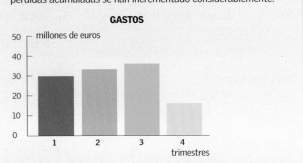

Crisis en el sector
El estancamiento del sector de la construcción ha afectado negativamente la fabricación de cemento, que ha caído un 25% en el segundo semestre de este año. El valor de dicha producción ha descendido hasta situarse en 30 millones de euros.

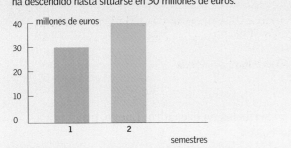

Nuevos competidores
Este año Aceites Oil ha tenido nuevos competidores en el extranjero y por eso la exportación ha disminuido a partir del mes de marzo.

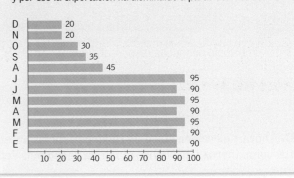

Aumento de la facturación
En Hotelsa la facturación ha aumentado considerablemente en los últimos seis meses del año debido al auge en el servicio de *catering* y a la ocupación hotelera. Recientemente, la cadena ha incorporado 30 nuevos hoteles al grupo.

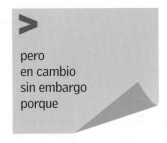

pero
en cambio
sin embargo
porque

B. Ahora, coméntalo con tu compañero.

 ● El artículo de Caserasa dice que el presupuesto de este año para el producto principal, Micasera, ha sido inferior respecto al año pasado. En cambio, en el gráfico vemos que este producto ha contado este año con una inversión superior.

10. ÉXITO O FRACASO

A. Aquí tienes algunas posibles causas del éxito o del fracaso de una empresa. Clasifícalas en uno u otro grupo. Después, añade alguna más en cada columna.

CAUSAS DEL ÉXITO		CAUSAS DEL FRACASO
	descuidar la atención al cliente	
	hacer buenas campañas de publicidad	
	controlar los gastos	
	ofrecer precios competitivos	
	desmotivar a los trabajadores	
	dar una buena imagen	
	ofrecer productos o servicios de poca calidad	

B. En grupos de cuatro, pensad en empresas que actualmente están en crisis y escribid sus nombres. Después, pensad en otras empresas que tienen éxito y escribid también sus nombres.

Empresas de éxito

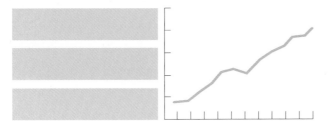

Empresas en crisis

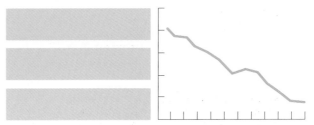

C. En parejas, pensad por qué esas empresas están en crisis o por qué tienen éxito. Después, discutidlo con el resto del grupo. ¿Estáis de acuerdo?

● Crack está en crisis porque no ofrece precios competitivos.
● Y también porque no se ha adaptado al mercado actual.

D. Ahora, individualmente, busca soluciones para las empresas que están en crisis y escríbelas. Después, coméntalo con tu grupo.

● Crack tiene que controlar los gastos para poder ofrecer precios más competitivos.
● Sí, y cuidar más a sus clientes.

Portfolio

BUSCAR SOLUCIONES

A. En grupos de tres. Trabajáis en la consultora Iber Consulting y la compañía aérea Latin Air ha solicitado vuestros servicios. Estos gráficos reflejan la situación de Latin Air este último año. Interpretadlos y comentad qué ha pasado.

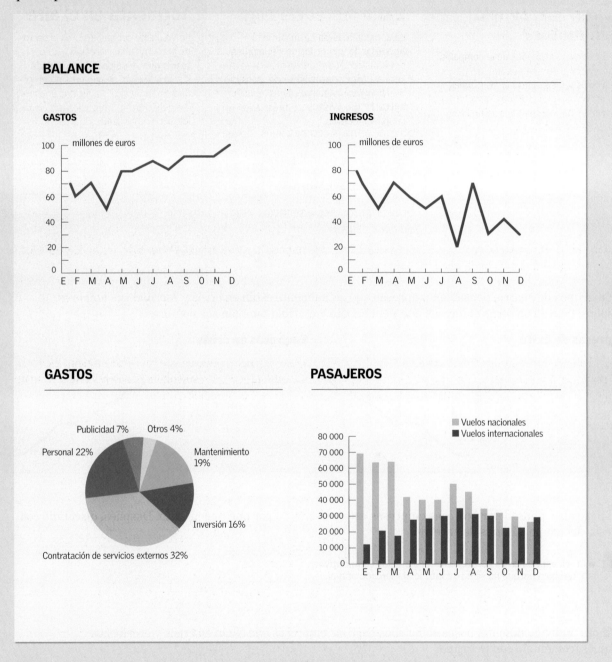

 El número de pasajeros en los vuelos nacionales ha disminuido bastante a partir de abril, en cambio, ha aumentado en los vuelos internacionales a partir del segundo trimestre.

B. En la prensa han aparecido algunos artículos sobre la crisis de Latin Air. Léelos y subraya las causas de la crisis. Luego, coméntalo con tus compañeros.

Latin Air: ¿vuelo sin motor?

Los últimos resultados de la compañía aérea Latin Air no pueden ser peores. La crisis se debe, entre otras razones, a la dimisión del equipo directivo que, en estos momentos, todavía no ha podido ser sustituido.

Latin Air vuela bajo

La compañía aérea Latin Air está atravesando uno de los peores momentos de su historia. Los constantes retrasos en sus vuelos y los numerosos casos de *overbooking* han dañado considerablemente la imagen de la empresa ante la opinión pública.

Tormenta en el aire

La creciente competencia en el sector de las compañías aéreas, con una fuerte guerra de precios provocada por la irrupción de numerosas compañías de bajo coste, ha llevado a la crisis a muchas de las empresas tradicionales, como Latin Air.

● Latin Air ha tenido problemas de imagen.
● Sí, y además...

C. ¿Qué medidas creéis que tiene que adoptar Latin Air para salir de la crisis? Poneos de acuerdo entre los tres y anotad vuestras conclusiones.

● A mí me parece que hay que hacer una buena campaña de promoción de sus vuelos nacionales.
● Sí, y ofrecer precios más competitivos.

D. En Iber Consulting hay una reunión de todos sus equipos de consultores para encontrar soluciones a la crisis de Latin Air. Cada grupo va a exponer su paquete de medidas para solucionar la crisis. Podéis usar un gráfico. ¿Cuáles son las tres medidas que más se han repetido en las presentaciones?

● Nosotros pensamos que hay que invertir más en publicidad, pero antes es importante reducir gastos.
● Sí, estamos de acuerdo con vosotros.

11

Viajes de negocios

En esta unidad vamos a seleccionar las mejores ofertas de avión y de hotel para un cliente.

Para ello vamos a aprender:
- Las formas de **tú** y **usted** del Imperativo (verbos regulares e irregulares)
- El Futuro (verbos regulares e irregulares)
- Pronombres de Objeto Indirecto + pronombres de Objeto Directo: **se** + **lo/la/los/las**
- El estilo indirecto
- A expresar causa: **como...**
- A expresar condiciones en presente y futuro: **si...**
- A pedir y a solicitar algo: **poder** + Infinitivo
- Expresiones útiles para hablar de viajes y hacer reservas

1. VACACIONES EN TENERIFE

A. Aquí tienes una oferta de viaje para ir una semana a Tenerife. Relaciona estos iconos con el texto del anuncio.

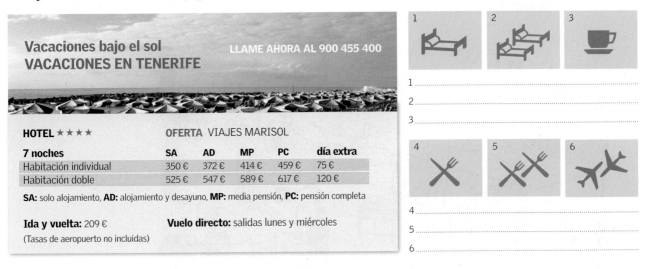

Vacaciones bajo el sol
VACACIONES EN TENERIFE

LLAME AHORA AL 900 455 400

HOTEL ★ ★ ★ ★   **OFERTA** VIAJES MARISOL

7 noches	SA	AD	MP	PC	día extra
Habitación individual	350 €	372 €	414 €	459 €	75 €
Habitación doble	525 €	547 €	589 €	617 €	120 €

SA: solo alojamiento, **AD:** alojamiento y desayuno, **MP:** media pensión, **PC:** pensión completa

Ida y vuelta: 209 €   **Vuelo directo:** salidas lunes y miércoles
(Tasas de aeropuerto no incluidas)

1 ....

2 ....

3 ....

4 ....

5 ....

6 ....

B. Estas personas quieren hacer un viaje y han esperado hasta el último momento para hacer la reserva. ¿A quién crees que le puede interesar la oferta anterior? Coméntalo con tu compañero.

MARTA
Tiene una semana de vacaciones. Ha tenido mucho trabajo últimamente y necesita descansar. Le encanta la playa y tomar el sol. Puede gastar unos 700 euros entre el avión y el alojamiento. Empieza las vaciones el próximo jueves.

MARISA Y FELIPE
Quieren pasar 10 días de vacaciones en alguna ciudad cosmopolita. Les interesa la arquitectura, la historia y el arte. No pueden gastar mucho en el viaje. Sus vacaciones empiezan este viernes. Tienen poco tiempo para decidirse.

EDUARDO
Le gustan mucho los deportes, en especial el esquí y el surf. Tiene 15 días de vacaciones a partir del próximo lunes. Quiere ir a algún sitio con un buen clima, por lo menos una semana. Tiene dinero para hacer un buen viaje, pero no quiere gastar demasiado.

 ● A Marta le puede interesar la oferta porque le gusta la playa y tomar el sol.
● Sí, pero...

CD 83 **C.** Ahora, escucha cómo Eduardo hace una reserva por teléfono y completa el cuadro.

	Ida	Vuelta
Día		
Hora		
Compañía aérea		
Precio del vuelo		
Tipo de alojamiento		

2. AGENCIA DE VIAJES GLOBO-TOUR

A. En Globo-Tour hoy todo el mundo tiene mucho trabajo. Mira el dibujo. ¿Quién crees que dice cada una de las frases de abajo? Márcalo.

3 Envíe un catálogo por correo electrónico a todos estos clientes.

Muy bien, entonces confirmamos su reserva. ¿Puede darme los datos de su tarjeta de crédito?

¿Puede mirar qué precio tiene el billete a Manila, en primera?

Mira, estas cartas son para Correos. ¿El paquete, puedes entregarlo antes de las 12:00 h?

Toma, Luis, dale esto a Gema.

CD 84-88 **B.** Ahora, escucha y comprueba.

CD 84-88 **C.** Escucha otra vez. ¿Pueden hacer lo que les han pedido? Completa el cuadro.

	1	2	3	4	5
SÍ					
NO					

3. TRANSPORTE URGENTE

A. El director de una importante empresa de transportes escribe el viernes a última hora un correo electrónico a su secretaria pidiéndole algunas cosas. Haz una lista de lo que le pide.

Querida Charo:

Como voy a estar fuera hasta el próximo jueves y la semana que viene vamos a tener mucho trabajo, te envío este mail con las cosas más urgentes que tienes que hacer.

Todavía no sabemos cuándo tenemos la reunión en el Ministerio de Transporte. ¿Puedes hablar con ellos y proponerles la primera semana de abril? Si no tienen ningún problema, yo prefiero el lunes o el martes. Otra cosa: si puedes, por favor, habla el lunes con Pedro, el jefe de Personal, para saber cuándo empiezan los nuevos comerciales. Todavía no hemos preparado sus contratos. Acuérdate también de pedirle a Begoña del Departamento de Formación los programas de los cursos para este año. Los necesito el viernes a primera hora.

Te llamaré el miércoles para ver cómo va todo, ¿de acuerdo?

Un abrazo.
Diego

B. Hoy es miércoles y Diego llama a Charo para ver cómo van las cosas. Ordena la conversación.

1
● Transportes Urgentes S.A., ¿dígame?
● ¡Hola, Charo! Soy Diego. ¿Qué tal estáis?
● Hola Diego. Bien, muy bien. ¿Y tú, qué tal?
● Bueno... estoy cansadísimo. He tenido muchísimo trabajo todos estos días. Tengo ganas de llegar al hotel ya.
● Pues por aquí también tenemos mucho trabajo, pero todo va bien.

● Muy bien, entonces le llamo ahora mismo y le digo que los contratos son urgentes.
● Perfecto. Por cierto, ¿has visto a Begoña?
● Sí, la he visto esta mañana. Me ha preguntado si necesitas para el viernes los programas de todos los cursos o solo de algunos. Dice que ha tenido mucho trabajo esta semana.

● Me alegro, me alegro. Oye, has recibido mi mensaje, ¿verdad?
● Sí, claro. Ya he hablado con Enrique Punzano, del Ministerio, y me ha dicho que no hay ningún problema y que podéis tener la reunión el martes 4 a las diez de la mañana.
● Estupendo. Oye, ¿y qué tal va el tema de los contratos?

● Vale. Suerte con todo.
● A ti también. Hasta luego.
● Hasta luego.

● Ah, sí, he hablado con Pedro, del Departamento de Personal. Me ha preguntado cuándo comienza la campaña. Dice que no es necesario contratar a nadie antes de la promoción, pero que necesita saber algo pronto.
● Dile que la promoción empieza el mes que viene. Así que ya puede empezar a hacer los contratos.

● Ya, ya lo sé. Dile que no, que todos no, pero que necesito los programas para los cursos de marketing.
● Entonces, solo para los cursos de marketing, muy bien.
● Muchas gracias, Charo. Ahora te dejo. Es que me están esperando ya. Te veo el viernes, ¿vale?

CD 89 **C.** Ahora, escucha la conversación y comprueba.

D. Estas son las palabras textuales del señor Punzano del Ministerio de Transporte. ¿Qué le han dicho Pedro, del Departamento de Personal, y Begoña, de Formación, a Charo, la secretaria? Escríbelo.

Enrique Punzano

"No hay ningún problema. Podemos tener la reunión el martes 4 a las 10 de la mañana."

Pedro Ramos

Begoña López

4. MAYORISTAS

A. Unos mayoristas están buscando un hotel para alojar a sus clientes. Vamos a dividir la clase en dos grupos: mayoristas y propietarios de un hotel.

Si eres mayorista:
Necesitas alojar a un grupo de personas en un hotel. ¿Cómo es el grupo? ¿Qué tipo de hotel necesitan? Completa la ficha. Tú decides.

Si eres propietario de un hotel:
Trabajas con mayoristas y recibes grupos durante todo el año. Piensa en las características de tu hotel y completa la ficha. Tú decides.

N.º de personas: ....
Fecha del viaje: ....

Características del grupo: ....
....
....
....
....

Categoría del hotel: ....
Instalaciones y servicios: ....
....
....
....

Presupuesto aproximado por persona: ....
N.º de habitaciones individuales: ....
N.º de habitaciones dobles: ....

Régimen:
▨ Solo alojamiento   ▨ Media pensión
▨ Alojamiento y desayuno   ▨ Pensión completa

Observaciones: ....
....

Nombre del hotel: ....
Categoría: ....
N.º de plazas: ....
N.º de habitaciones individuales: ....
N.º de habitaciones dobles: ....
Instalaciones y servicios: ....
....
....
....

LISTA DE PRECIOS

	Habitación individual	Habitación doble
Tarifa normal		
Tarifa verano (julio/agosto)		

Suplementos:
Desayuno ....
Comida ....
Cena ....

Descuentos a grupos: ....
....
....

B. Ahora, los mayoristas pueden buscar el hotel que mejor se adapta a las necesidades de sus clientes. Para ello tienen que pedir información a diferentes propietarios de hoteles y, finalmente, elegir el más adecuado.

- Necesito un hotel con piscina.
- Nuestro hotel tiene dos piscinas y está muy cerca del mar.
- ¿Y cuánto cuesta la habitación doble con pensión completa?
- Solo 90 euros por día. Además, si su grupo supera las cien personas, le ofrecemos un 15% de descuento.

5. DECLARACIONES DEL MINISTRO

A. El ministro de Turismo, en una entrevista para la revista *Hotel*, ha hecho estas declaraciones sobre la situación del sector. Relaciona las dos columnas.

1 Si se aprueba el proyecto para la conservación de las costas,	**a** la temporada de esquí será excelente.
2 Si la campaña de promoción que estamos realizando en Japón tiene éxito,	**b** nuestras playas serán más bonitas y más limpias.
3 Si esta temporada la ocupación hotelera es del 100%,	**c** la inflación alcanzará el 3%.
4 Si este verano suben los precios de los servicios hoteleros,	**d** las compañías aéreas deberán pagar sanciones importantes.
5 Si vuelven a aparecer casos de *overbooking* en los vuelos chárter,	**e** el próximo año tendremos que estudiar la posibilidad de crear más plazas.
6 Si este invierno nieva como el año pasado,	**f** la extenderemos a otros países asiáticos.

 B. Ahora, escucha las declaraciones del ministro y comprueba.

6. ¿QUÉ HARÁS SI...?

Mañana llega la señora Canals, directora de la empresa Monfort. Es una clienta muy importante.
En la oficina lo habéis organizado todo muy bien. Queréis que la visita sea un éxito.
Pero, ¿qué haréis si mañana surgen estos problemas y contratiempos?

El avión no llega.
La compañía aérea pierde su equipaje.
En el aeropuerto os dais cuenta de que no sabéis cómo es físicamente la señora Canals.
Los taxistas están en huelga.
Las secretarias de vuestra oficina están enfermas.
El contrato que tiene que firmar no está preparado.
El hotel donde habéis reservado su habitación está cerrado.
De repente os sentís muy mal y no podéis ir al aeropuerto a recibirla.
La señora Canals quiere visitar vuestras oficinas pero estáis en obras.

*
■ Si el avión no llega, llamaremos a la compañía
  para saber si ha habido algún problema.
■ Sí, buena idea.

7. MARTES 13 EN LA OFICINA

Vamos a trabajar en parejas: A y B.

Alumno A

Hoy es martes 13, estás enfermo y no puedes ir al trabajo. Como tienes muchas cosas que hacer, llamas por teléfono a un compañero para pedirle ayuda. Decide qué vas a pedirle y señálalo. Tú decides.

> Comunicarle al jefe que estás enfermo y que no vas a ir a la oficina.

> Aplazar la reunión de la tarde con un cliente.

> Imprimir el informe de la empresa Comex.

> Asisitir a la reunión con los comerciales.

> Mandar el pedido por fax a la fábrica.

> Contestar el correo electrónico del jefe de Administración.

> Revisar los informes de las nuevas empresas. Están en el archivo.

> Escribir la carta a los distribuidores internacionales.

Ahora, llama por teléfono a tu compañero y pídele lo que necesitas.

Alumno B

Es martes 13 y en la oficina las cosas no funcionan muy bien. Indica cuál es la situación en tu despacho. Tú decides.

> Los ordenadores se han bloqueado.

> Tienes problemas con la línea de teléfono.

> Se ha terminado el papel y los sobres con el membrete de la empresa.

> El jefe está de mal humor y no quiere ver a nadie.

> No encuentras la llave del archivo donde están los informes de las nuevas empresas.

> Hoy vas a salir antes de la oficina porque tienes que ir al médico.

> La impresora no funciona.

> Carlos, el recepcionista, está enfermo y tú tienes que atender el teléfono todo el día.

Un compañero de la oficina te va a llamar por teléfono para pedirte algunas cosas. Habla con él e intenta ayudarle.

- ¿Diga?
- Hola, soy yo. Te llamo porque hoy no voy a ir a trabajar. Es que no me encuentro bien. ¿Puedes decírselo al jefe?
- Pues, mira, es que hoy está de mal humor y no quiere ver a nadie, pero lo intentaré.
- Muchísimas gracias. Ah, y otra cosa, ¿puedes...?

8. NOTICIAS

 A. El popular programa de radio "Desaparecidos" ha dado una noticia sobre la famosa empresaria Alicia Coplovez. Escucha y coméntalo con tu compañero.

 ● En la radio han dicho que Alicia Coplovez...

B. La policía ha descubierto una carta escrita por Alicia Coplovez dirigida a su hermana Ester. Léela. ¿Qué ha pasado?

Málaga, 9 de noviembre

Querida Ester:

Te escribo esta carta porque necesito organizarme las ideas. Estoy en una situación complicada y no sé qué hacer.

Los negocios van muy mal. Nadie lo sabe pero si continuamos así, tendremos que cerrar todas las empresas. El problema es que debemos mucho dinero y yo he recibido ya varias amenazas. Sé que nuestros acreedores son muy peligrosos, pero no les tengo miedo. No pueden hacerme nada porque tengo información confidencial sobre sus actividades ilegales.

Por otro lado, mi marido está muy raro últimamente. Sospecho que está tramando algo. Nuestro matrimonio no funciona y él sabe que si me divorcio, no tendrá ningún derecho sobre las empresas, porque todo está a mi nombre.

Además, mi secretario, Ramón, que está enamorado de mí, no soporta verme tan desesperada y me ha propuesto hacer un viaje en barco por todo el mundo. ¡Es el sueño de mi vida! Por cierto, ¿tienes tú las llaves del barco? No las encuentro. ¡Ay, Ester! ¿Qué hago? Ramón es tan atractivo... El único problema es que le gusta mucho el dinero.

Bueno, querida, te llamaré muy pronto para decirte alguna cosa.

Besos.

Alicia

C. Como ves, el caso no está claro. En grupos de tres, escoged cada uno una opción e intentad convencer a vuestros compañeros.

Alumno A Crees que han secuestrado a Alicia.
Alumno B Crees que su marido la ha asesinado.
Alumno C Crees que se ha ido con Ramón.

 ● Yo creo que se ha ido con Ramón porque en la carta dice que...

 D. Han pasado unos días y Ester ha recibido un mensaje en su contestador. ¿Quieres saber qué ha pasado realmente con su hermana?

Tarea

PREPARAR UN VIAJE

A. Trabajas en la agencia de viajes Trotamundos. Hoy es lunes 10 de julio y recibes este correo electrónico de un buen cliente. Léelo y completa la ficha.

Eliminar | Imprimir Responder | Reenviar

De: carmelamanrique@institutoquijano.es
Para: viajestrotamundos@travel.com

Apreciados amigos:

Tal como hemos hablado esta mañana, os envío los datos para la reserva.

Necesito dos billetes a Praga para la próxima semana. Quiero la ida para el lunes de la semana que viene pero, por favor, la hora de llegada tiene que ser antes de las 12:00. La vuelta, para el miércoles por la tarde preferiblemente, pero también puede ser por la noche. ¿Podéis buscar un buen hotel? Un cuatro estrellas, por ejemplo. Tiene que estar en el centro de la ciudad. Por cierto, en habitaciones individuales, ¿eh?

A ver si encontráis una buena oferta... Necesitamos saber algo lo antes posible. ¿Podéis decirnos alguna cosa hoy mismo?

Espero vuestra respuesta. Muchas gracias.

Cordialmente.

Carmela Manrique

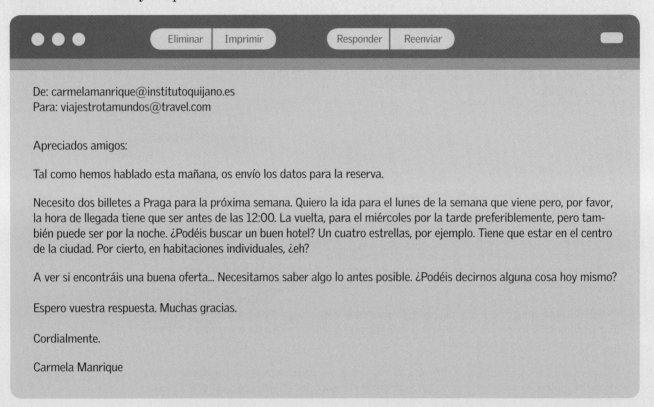

TROTAMUNDOS Agencia de viajes

Empresa:

Persona de contacto:

Destino:

Día de ida: Hora:

Día de vuelta: Hora:

N.º de personas:

Alojamiento:

Observaciones:

B. ¿Qué ofertas responden a las necesidades de tu cliente? Valora las ventajas y los incovenientes de cada una y coméntalo con tu compañero.

Mayorista: AVIA-TOURS

Vuelo: de L a V

Compañía: CLM

Ida: salida 10:15, llegada 12:00

Vuelta: salida 17:00, llegada 18:45

Alojamiento: Hotel Brno ★★★
(a 30 minutos del centro)

Fechas de validez: 01/01 - 31/08

Precio: 600 €
(Incluye vuelo y dos noches de hotel)

Mínimo: 2 días   **Máximo:** 30 días

* Estos billetes no admiten cambio de reserva,
ni reembolso por cancelación.

Mayorista: BULLMANTUR

Vuelo: de L a V

Compañía: Chesa

Ida: salida 9:40, llegada 11:25

Vuelta: salida 22:00, llegada 23:45

Alojamiento: Hotel Bratislava ★★★★
(céntrico)

Fechas de validez: 15/05 - 31/07

Precio: 500 €
(Incluye vuelo y dos noches de hotel)

Mínimo: 2 días   **Máximo:** 15 días

* Estos billetes no admiten cambio de reserva,
ni reembolso por cancelación.

Mayorista: AVIA-TOURS

Vuelo: de L a V

Compañía: Chesa

Ida: salida 9:40, llegada 11:25

Vuelta: salida 17:00, llegada 18:45

Alojamiento: Hotel Ostrava ★★★★
(céntrico)

Fechas de validez: 01/07 - 31/07

Precio: 700 €
(Incluye vuelo y cuatro noches de hotel)

Mínimo: 4 días   **Máximo:** 30 días

* Estos billetes no admiten cambio de reserva,
ni reembolso por cancelación.

Mayorista: VIAJES ISPANIA

Vuelo: L, X, V y S

Compañía: EuroAir

Ida: salida 11:10, llegada 12:55

Vuelta: salida 21:00, llegada 20:45

Alojamiento: Hotel Orava ★★★★
(céntrico)

Fechas de validez: 01/07 - 31/08

Precio: 450 €
(Incluye vuelo y dos noches de hotel)

Mínimo: 2 días   **Máximo:** 15 días

* Estos billetes no admiten cambio de reserva,
ni reembolso por cancelación.

Mayorista: BULLMANTUR

Vuelo: L, X, V y S

Compañía: Iberair

Ida: salida 10:00, llegada 11:45

Vuelta: salida 22:00, llegada 23:45

Alojamiento: Hotel Karlo ★★★★★
(céntrico)

Fechas de validez: 15/07 - 15/08

Precio: 750 €
(Incluye vuelo y dos noches de hotel)

Mínimo: 2 días   **Máximo:** 30 días

* Estos billetes no admiten cambio de reserva,
ni reembolso por cancelación.

*
- La oferta de Avia-Tours con CLM no está mal. Pueden estar en Praga a las 12:00 h.
- Sí, pero ellos quieren llegar antes de las 12:00 h. Además...

C. Tienes que dar una respuesta pronto a tu cliente, pero no estás en la oficina. Merche, tu secretaria, te llama al móvil y te deja un mensaje. Escucha el mensaje y comenta con tu compañero si ha habido algún cambio en las ofertas de los mayoristas.

D. ¿Qué ofertas crees que puedes ofrecerle a tu cliente? Escribe un correo electrónico al Instituto Quijano y explícales qué opciones tienen. Necesitas que te confirmen la reserva lo antes posible.

12

Formación y experiencia

En esta unidad vamos a recomendar un trabajo para un compañero de clase teniendo en cuenta su formación, su experiencia y sus aptitudes.

Para ello vamos a aprender:
· El Pretérito Indefinido
· El Pretérito Imperfecto
· Marcadores temporales con Indefinido:
  ayer, anteayer, hace...
· El relativo **donde**
· A expresar duración: **desde, hasta, de ... a**, etc.
· A relacionar temporalmente hechos del pasado
· A hablar de las cualidades de alguien
· A hablar de la biografía de alguien
· A valorar experiencias
· A identificar a personas o cosas: **el/la/los/las** +
  de + sustantivo, **el/la/los/las** + **que** + verbo

1. RICOS Y FAMOSOS

A. Aquí tienes las fotos de cuatro personas famosas del mundo de los negocios y de la cultura: Amancio Ortega, Carolina Herrera, Bill Gates y J. K. Rowling. Relaciona los nombres con las fotografías. ¿Sabes algo de ellos?

1 2 3 4

● Este es Bill Gates, ¿no?
● Sí, es el de Microsoft, el que tiene la empresa de *software* más grande del mundo.
● ¿Y esta quién es?

B. Aquí tienes algunos datos de las biografías de estas personas. ¿A quién corresponden? Márcalo.

> Nació en un pueblo de la provincia de León en 1936. En 1975 abrió la primera tienda de Zara en A Coruña. Hoy en día, el grupo Inditex, que creó en 1985, cuenta con más de 3000 tiendas en todo el mundo.

> Nació en Seattle y estudió en Harvard. A los doce años creó su primer programa informático y a los 29 fundó Microsoft junto a su amigo Paul Allen. En el 2006 recibió el Premio Príncipe de Asturias de Cooperación Internacional.

> La autora de la saga de Harry Potter nació en el condado de Gloucestershire (Gran Bretaña) el 31 de julio de 1965. En el 2004 se convirtió en la primera persona en hacerse millonaria escribiendo libros.

> Nació en Caracas (Venezuela) en 1939. Diseñadora de moda y empresaria, a partir de 1980 creó un imperio empresarial que incluye una marca de ropa, perfumes y productos de cosmética.

C. Ahora, piensa en un personaje famoso y escribe todo lo que sabes de él o de ella. Luego, cuéntaselo a tu compañero. Él o ella tendrá que descubrir quién es.

● Nació en Italia y trabajó de dependiente en unos grandes almacenes. Luego, trabajó de diseñador de ropa y fundó su propia empresa.
● ¿Benetton?
● No.
● ¿Giorgio Armani?
● Sí, muy bien.

2. CARTAS DE PRESENTACIÓN

A. Una empresa de importación ha publicado un anuncio para contratar a una secretaria de dirección. ¿Cuáles serán sus funciones? ¿Cuáles son los requisitos para optar al puesto? Escríbelo en tu cuaderno.

EMPRESA DE IMPORTACIÓN LÍDER EN EL SECTOR desea contratar

SECRETARIA DE DIRECCIÓN (Ref.: SDG-429)

Será responsable de la correspondencia, agenda, viajes y presentaciones del director general.

Se requiere: Persona de entre 30 y 40 años, con ocho años de experiencia en funciones de secretaria y dos años de secretaria de dirección. Buenos conocimientos de sistemas informáticos. Dominio de inglés y francés. Se valorará experiencia internacional.

Se ofrece: Incorporación inmediata en equipo dinámico. Formación continua. Remuneración a convenir.

Interesados, enviar currículum vitae y foto reciente a: recursoshumanos@imporespaña.com

---

B. Lee las cartas de presentación que han enviado, junto con su currículum, dos personas interesadas en el puesto y subraya qué han hecho en su vida profesional.

Apreciados señores:

Me dirijo a ustedes con motivo de la oferta de trabajo aparecida en el periódico *El País* el 7 de febrero. Como verán por el CV que adjunto, me licencié en Ciencias Económicas en la Universidad de Granada en junio de 1999 y, al mes siguiente, empecé a trabajar en el sector de la importación, en la empresa Impor España, en Madrid, donde estuve tres años. En el 2002, me trasladé a Australia con la empresa y allí viví otros tres años. Después volví a España para trabajar en Export Internacional, una conocida empresa de importación y exportación, donde trabajo en la actualidad como secretaria de dirección.

Quedo a su entera disposición para cualquier aclaración que necesiten.

Atentamente.

María José Mazo

Estimado Sr. Director:

Por la presente me dirijo a usted en respuesta al anuncio publicado en *El País* el 7 de febrero. Como podrán observar en mi currículum, terminé mis estudios de Secretariado en 1997. Al año siguiente me fui a Canadá para perfeccionar mis conocimientos de inglés y francés. Allí estuve trabajando como secretaria durante 2 años y medio y, luego, cuando volví a Madrid, trabajé en una multinacional de telecomunicaciones como secretaria bilingüe hasta el 2006, fecha en la que me incorporé como secretaria de dirección a la empresa L'Areal, en Bilbao, donde trabajo desde entonces.

Quedo a su entera disposición para cualquier información adicional que necesiten.

En espera de sus noticias, les saluda muy atentamente.

Susana Gil González

C. Completa el cuadro con la información de las cartas. ¿Quién crees que tiene el perfil más adecuado para el puesto?

SELECCIÓN DE CANDIDATOS Ref.: SDG-429				
Nombre	**Formación**	**Experiencia (empresas, cargos...)**	**Años**	**Lugar**

3. PROCESO DE SELECCIÓN

 A. El Departamento de Recursos Humanos de una cadena de hoteles ha seleccionado a dos candidatos para un puesto de animador: Hugo y Mercedes. Después de las entrevistas, comentan sus impresiones. Completa los informes.

activo/a, dinámico/a, creativo/a, trabajador/ra, (des)organizado/a, (des)agradable, perfeccionista, flexible, tiene buena presencia, tiene un trato agradable

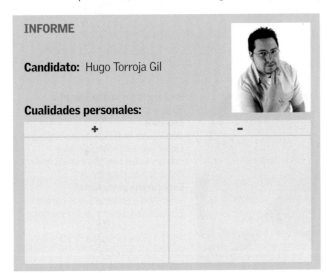

INFORME

Candidato: Hugo Torroja Gil

Cualidades personales:

+	-

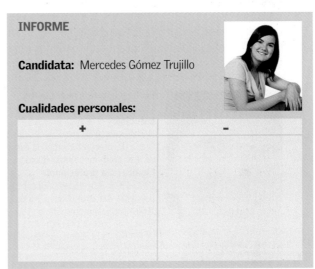

INFORME

Candidata: Mercedes Gómez Trujillo

Cualidades personales:

+	-

B. ¿A quién crees que van a elegir? Coméntalo con tu compañero.

● Yo creo que van a elegir a Mercedes porque tiene muy buena presencia.
● Ya, pero eso no es tan importante. Hugo es muy dinámico y...

C. Ahora, escucha y comprueba a quién eligen.

4. PUESTOS DE TRABAJO

Aquí tienes tres ofertas de empleo aparecidas en la versión digital de un periódico. ¿Qué cualidades crees que deben tener los candidatos? Coméntalo con tu compañero.

Director/ra de escuela de negocios
Interesados mandar currículum a
escuela10@negocios.es

TANDEM DDB precisa PUBLICISTA
Interesados mandar CV a C/ Bruc, 21, 1º,
08010, Barcelona. Tel.: 93 301 11 18

EURODISNEY necesita RECEPCIONISTAS
para el centro de atención al cliente. Llamar
lunes y martes de 9 a 17 h. Tel.: 913 616 234

SER	TENER
amable	iniciativa
responsable	facilidad para las relaciones humanas
buen/na comunicador/ra	capacidad de decisión
paciente	dotes de mando
educado/a	facilidad para delegar en otros
organizado/a	buena presencia
creativo/a	mucha experiencia

● Un director de una escuela de negocios tiene que tener dotes de mando.
● Sí, me imagino que sí, pero yo creo que también tiene que ser buen comunicador.

5. SOCIAS

Aquí tienes un fragmento de un artículo publicado en una revista de negocios sobre dos empresarias: Carmen y Lola Fernández. Léelo y busca con tu compañero cinco cosas que tienen en común estas dos hermanas.

empresas

Perfiles

Las hermanas Carmen y Lola Fernández son socias fundadoras de El Parnaso (café, sala de exposiciones y librería). Profesionalmente optaron por caminos muy diferentes, pero ahora el destino las ha unido y comparten una de las más novedosas y rentables cadenas de librerías de España.

CARMEN FERNÁNDEZ

Fecha y lugar de nacimiento:
11 de septiembre de 1970 (Sevilla).
Estudios:
Bachillerato en el Liceo Francés (Sevilla).
Curso de interpretación en la escuela de arte dramático Actúa (Lima).
Experiencia profesional:
1990-1998: Relaciones públicas de la galería Art Brut (Nueva York).
1998-2005: Directora de la Fundación Jóvenes Artistas (Madrid).
2007: Funda la cadena de librerías El Parnaso (Barcelona).
Becas y premios: Premio a la Iniciativa Empresarial (2007).

LOLA FERNÁNDEZ

Fecha y lugar de nacimiento:
10 de octubre de 1975 (Sevilla).
Estudios:
Bachillerato en el Liceo Francés (Sevilla).
Licenciada en Empresariales y máster en Gestión y Administración de Empresas (Monterrey).
Experiencia profesional:
1996-2001: Editorial Libris (Sevilla).
2001-2006: Gerente de la Fundación Jóvenes Artistas (Madrid).
2007: Funda la cadena de librerías El Parnaso (Barcelona).
Becas y premios: Premio a la Iniciativa Empresarial (2007).

- Las dos nacieron en Sevilla.
- Sí, una en el 70 y la otra en el 75.

6. EL AÑO PASADO

Habla con tus compañeros sobre las experiencias que tuvieron el año pasado. ¿Qué tal les fue? Completa el cuadro.

	¿Quién?	¿Dónde?	¿Cuándo?	¿Qué tal?
Empezó a trabajar				
Estuvo en otro país				
Hizo una entrevista de trabajo.				
Hizo un examen importante.				
Presentó un proyecto.				
Cambió de trabajo.				

- ¿Empezaste a trabajar el año pasado?
- Sí.
- ¿Dónde?
- En una compañía de seguros.
- ¿Cuándo empezaste a trabajar?
- En julio.
- ¿Y qué tal?
- Pues al principio fatal, pero ahora muy bien; estoy muy contento.

7. EN TU TRABAJO O EN TUS ESTUDIOS

A. ¿Cuándo fue la última vez que te pasaron estas cosas? Escríbelo. Puedes añadir otras frases.

1. Tuve vacaciones **hace diez meses.**

2. Me subieron el sueldo o me dieron una beca ....

3. Me felicitaron por un trabajo ....

4. Hice un viaje interesante ....

5. Discutí con alguien ....

6. Soñé con mi jefe o con un profesor ....

7. Me levanté muy temprano ....

8. Fui a tomar un café con mis compañeros ....

9. Trabajé o estudié más de ocho horas seguidas ....

10. Tuve problemas con el ordenador ....

> ayer
> anteayer
> hace 2 días
> la semana pasada
> hace 3 semanas
> el año pasado
> hace 2 años
> en el 2006
> hace mucho tiempo

B. Ahora, habla con tu compañero para saber cuándo le pasaron estas cosas por última vez. ¿Quién ha tenido más experiencias positivas últimamente?

● ¿Cuándo tuviste vacaciones por última vez?
● Pues hace bastante, creo que hace diez meses. ¿Y tú?
● Yo, en agosto.

8. HECHOS IMPORTANTES DE TU VIDA

CD 96

A. Raquel está mirando sus fotos con una amiga. Escucha la conversación y escribe las fechas debajo de cada imagen. Luego, compara con tu compañero.

1970

B. Ahora, piensa en algunos hechos importantes de tu vida y dibújalos en un papel. Luego, comenta con tu compañero cuándo ocurrieron.

● ¿Naciste en Berlín?
● No, pero viví allí del 96 al 99.

> el mismo año
> dos años después
> tres años más tarde
> del 96 al 99

9. CHUPA CHUPS

A. Aquí tienes los fotogramas de un reportaje sobre Chupa Chups, una famosa empresa que fabrica caramelos con palo. En parejas, intentad escribir la historia de la empresa.

en 1957

al año siguiente

en 1967

dos años después

en 1979

nueve años más tarde

en el año 1991

en 1993

al cabo de cuatro años

empezar a producir en Rusia; enviar chupa-chups al espacio

ganar el Premio a la Excelencia Empresarial

abrir en Asturias la primera fábrica

tener la idea de hacer un caramelo con palo

abrir la primera filial fuera de España

vender 10 000 millones

vender 20 000 millones

crear el logotipo (Dalí)

empezar la producción en China

En 1957 un señor tuvo la idea de hacer un caramelo con palo...

 B. Ahora, escuchad el reportaje. ¿Coincide con vuestra historia?

10. ANTES Y AHORA

A. Nuria Domínguez fue durante muchos años secretaria en una promotora inmobiliaria. Hoy es la directora general. Lee cómo era su trabajo antes y cómo es ahora y relaciona cada texto con una de las ilustraciones.

ANTES

Era secretaria.
Escribía muchísimas cartas.
Enviaba faxes.
Hablaba mucho por teléfono.
Tenía un sueldo muy bajo.
Iba en metro al trabajo.

AHORA

Es directora general.
Dicta las cartas a su secretario.
Envía correos electrónicos.
Su secretario contesta al teléfono.
Tiene un sueldo muy bueno.
Va en coche al trabajo.

1

2

B. ¿Qué otras cosas crees que han cambiado en su vida? Escríbelo.

Antes vivía en un piso muy pequeño, en cambio ahora vive en una casa con jardín.

C. ¿Ha habido grandes cambios en tu vida profesional o en tus estudios? Coméntalo con tu compañero.

UN BUEN PUESTO DE TRABAJO PARA TU COMPAÑERO

A. Escribe en un papel tres fechas y tres nombres de lugares (ciudades, países, empresas, etc.) que han sido importantes en tu formación y experiencia profesional. Luego, coméntalo con tu compañero.

- ¿Qué hiciste en el 2004? ¿Terminaste la carrera?
- Sí, estudié en Salamanca y al año siguiente me fui a Barcelona a hacer un máster.
- ¿Y qué tal?
- Estuvo muy bien. Aprendí muchísimo.

> **2004, 1 de junio, 2006**
> **Barcelona, KLM, Rabat**

B. ¿Cuáles crees que son tus mejores cualidades o aptitudes? ¿Y las de tu compañero? Escríbelo y, luego, coméntaselo. ¿Estáis de acuerdo?

Mis mejores cualidades	Las mejores cualidades de mi compañero

- Yo creo que eres una persona muy comunicativa, muy abierta. También tienes buena presencia...
- Bueno, creo que sí, soy bastante extrovertida, me gusta hablar con la gente.

C. Ahora, teniendo en cuenta la formación, la experiencia y las aptitudes de tu compañero, busca en las siguientes ofertas de empleo la que mejor se ajuste a su perfil. Coméntaselo. También podéis buscar en periódicos españoles y en internet.

Empresa del sector turístico solicita para su oficina de Lisboa a un profesional con el siguiente perfil:

- Experiencia en agencia de viajes o compañía aérea
- Fluidez en portugués, español e inglés
- Trato agradable
- Facilidad para la comunicación

Se ofrece:
- Incorporación en equipo joven
- Remuneración interesante
- Formación continua

Interesados enviar CV al apartado de Correos 0001

Promotora necesita
profesional de la venta inmobiliaria

Perfil:
Persona educada y con buena presencia
Buen comunicador
Experiencia mínima de 2 años
Posibilidad de incorporación inmediata

Empresa multinacional de telecomunicaciones

BUSCA URGENTEMENTE

Diseñador y/o Creativo

Funciones

- Diseño de elementos promocionales
- Colaboración directa con el director de Comunicación

Perfil

- Conocimientos de programas de diseño gráfico y de páginas web
- Capacidad para trabajar bajo presión
- Con iniciativa y de carácter abierto
- Flexible, organizado/a y con capacidad de decisión
- Buen nivel de inglés

Interesados enviar CV y fotografía a:
aircom@recursoshumanos.net

Buscamos
JEFE/A DE PERSONAL

para empresa de alimentación

Buscamos a una persona comunicativa, con iniciativa, buena presencia, dotes de mando y muy buen nivel de inglés tanto oral como escrito. Experiencia mínima de 2 años en empresa del sector.

Interesados enviar CV a la siguiente dirección de correo electrónico:
rh@amorfood.com

Productora audiovisual busca
Guionistas de televisión

Perfil:
Creativos y dinámicos
Cultos y con sentido del humor
Capacidad para trabajar en equipo
Experiencia no imprescindible

Interesados llamar al 900 444 712

Empresa dedicada al sector de equipos industriales precisa para su fábrica en el Corredor de Henares

Administrativo/a

Se requiere:
Persona activa y dinámica
Buen nivel de inglés (y a ser posible de otras lenguas)
Dominio del entorno MAC
Capacidad para trabajar en equipo y con experiencia mínima de dos años en puesto similar

Se ofrece:
Integración en plantilla
Retribución acorde con el puesto
Oportunidad de desarrollo profesional

Interesados enviar CV al apartado de Correos 0003

- Yo creo que puedes ser una buena jefa de Personal en una empresa de alimentación porque eres una persona muy comunicativa, tienes buena presencia y creo que también tienes facilidad para motivar y dirigir grupos. Además...

Y además...

Y además... ⬂

A. Aquí tienes el folleto de una escuela de idiomas. Seguro que hay muchas palabras que conoces. Márcalas.

Mundolenguas

Bienvenido/a a Mundolenguas

Mundolenguas es un grupo de escuelas de español para extranjeros fundado en 1991. Actualmente, contamos con 17 centros en diferentes países de todo el mundo. En Mundolenguas aplicamos los enfoques metodológicos más avanzados para la enseñanza y el aprendizaje de lenguas extranjeras. En nuestras escuelas preparamos a los estudiantes para la comunicación real. También ofrecemos una amplia gama de opciones de alojamiento en cada uno de los destinos así como un variado programa social y cultural.

Escuelas de español

Tipos de cursos

español para adultos: intensivo y extensivo
español para niños y adolescentes
español de los negocios
español para jubilados

Nuestras escuelas en el mundo hispano

España: Madrid, Barcelona, Salamanca
Argentina: Buenos Aires
México: Guadalajara, Monterrey
Uruguay: Montevideo
Colombia: Cartagena de Indias
Chile: Valparaíso
Venezuela: Caracas

Otras escuelas Mundolenguas

Contamos con otros siete centros en diferentes países del mundo que ofrecen cursos de las siguientes lenguas:

inglés en Londres (Reino Unido)
alemán en Munich (Alemania)
francés en París (Francia)
italiano en Génova (Italia)
portugués en Lisboa (Portugal)
chino en Pekín (China)
ruso en San Petersburgo (Rusia)

B. Ahora, pregunta a tu compañero o al profesor por las palabras que no conoces.

 ¿Qué significa "enseñanza"?

Y además... ↘

El mundo del español

Lee lo que dicen estas diez personas y, luego, completa el cuadro con la información de cada una.

¡Hola! Me llamo Irene Mendoza. Vivo en los Estados Unidos, en Florida. Mi familia es de Puerto Rico. Estudio Lenguas Modernas en la Universidad. Hablo inglés, francés y español.

¡Hola! Soy Nayeli Carvajal. Soy mexicana. Hablo español y un poco de náhuatl, la lengua de los aztecas. Vivo en México D.F. y trabajo en el Hotel Imperial Reforma.

Hola, me llamo Aldo Flores y soy peruano. Vivo en Lima, la capital del país. Hablo español, inglés y quechua, la lengua de los incas. Soy científico.

Me llamo Cecilia Peralta Vera. Hablo castellano, inglés y alemán. Trabajo en el Ministerio de Asuntos Exteriores, en Asunción, la capital de Paraguay.

Me llamo Francisco Calcumil y soy chileno. Estudio Economía en la Universidad de Santiago de Chile. Hablo español e inglés.

¡Hola! Me llamo María Belén Boscadín Russo. Soy argentina y vivo en Córdoba. Trabajo de relaciones públicas. Hablo castellano, inglés e italiano.

Soy Arantxa Urkizu Gómez. Vivo en San Sebastián, en el País Vasco. Hablo castellano, euskera y un poco de francés. Soy diseñadora de moda.

Mi nombre es Julián Arroyo y soy de Lugo. Soy médico y trabajo en un hospital. Hablo castellano, gallego y un poco de inglés.

¡Hola! Me llamo Javier Riera Estevez. Soy de Tarragona. Hablo catalán y castellano. Trabajo en una farmacia.

Me llamo Rocío Ramos García. Soy de Granada. Hablo español y un poco de inglés y de italiano. Estudio Empresariales y los fines de semana trabajo de camarera en un restaurante mexicano.

¿Cómo se llama?	¿De dónde es?	¿Qué lengua/s habla?	¿Qué hace?

Y además... ↘

A. Lee este texto sobre la marca Camper y busca en él palabras equivalentes a las del cuadro.

CAMPER es una empresa familiar mallorquina con sede en Inca que tiene más de 100 años de tradición en el sector del calzado. El uso de materiales naturales, la simplicidad y un estilo propio caracterizan la producción de esta compañía mediterránea, española e internacional, que ofrece sus productos en tiendas de Europa, Asia, Norteamérica y Australia.

Camper está presente en más de 60 países a través de tiendas multimarca (más de 3800) y tiendas propias. Actualmente, la empresa tiene más de 120 puntos de venta propios, de los cuales 23 están en España y el resto en algunas de las ciudades más importantes del mundo: París, Nueva York, Tokio, Berlín, Milán, Hong Kong, Londres, San Francisco, Sydney y Colonia.

En el 2004 la empresa inicia un proceso de diversificación de su oferta con la apertura del primer restaurante (CAMPER FoodBALL) y del Hotel Casa Camper, en Barcelona. También hay un restaurante FoodBALL en Berlín.

Zapatos =	
Empresa =	
Tienda =	

B. Ahora, completa esta ficha con los datos de Camper.

CAMPER

1. Nombre: ....

2. Tipo de empresa: ....

3. Nacionalidad de la empresa: ....

4. Sede de la empresa: ....

5. Ciudades donde vende Camper (entre otras): ....

....

....

6. Características de los zapatos Camper: ....

....

....

7. Número de puntos de venta en total: ....

8. Número de tiendas propias internacionales: ....

9. Número de tiendas propias nacionales: ....

10. Tipo de negocios nuevos: ....

....

Y además... ⬊

Gestos y saludos

A. En el mundo existen muchas maneras de saludarse. Lee el texto y relaciona cada ilustración con un tipo de saludo.

Las costumbres en la manera de saludar y en las presentaciones cambian mucho según las culturas y también según las personas. Darse la mano (1) es el saludo formal más frecuente en todo el mundo, aunque no el único. En China, por ejemplo, la forma de saludarse consiste en inclinar un poco la cabeza y la parte superior del cuerpo (2). En otras culturas, como la maorí de Nueva Zelanda, el saludo tradicional es con la nariz (3). En Rusia, los hombres se besan en la mejilla (4); en España, en cambio, se besan en la mejilla las mujeres (5) y también un hombre y una mujer. Finalmente, levantar la mano con los dedos extendidos (6) puede ser, en muchas partes del mundo, tanto un saludo ("¡Hola! ¿Qué tal?") como una despedida ("¡Adiós! ¡Hasta luego!").

B. ¿Cómo se saluda la gente en tu país? ¿Existen diferentes posibilidades? Escríbelo.

Empresas familiares

C. ¿Sabes en qué países están las empresas familiares más antiguas del mundo? Coméntalo con tus compañeros. Luego, lee el texto para descubrirlo.

Las empresas familiares son una de las instituciones más antiguas del mundo. Existen desde antes de las corporaciones multinacionales, desde antes de la Revolución Industrial, incluso desde antes de la civilización griega y del Imperio Romano.

Según un estudio reciente, las empresas familiares más antiguas están en Japón. La primera es la constructora Kongo Gumi, fundada en el año 578 y dirigida en la actualidad por su 48ª generación. El segundo lugar de la lista es para Hoshi Ryokan, fundada en el año 718. Esta pequeña empresa familiar del sector hotelero gestiona, entre otros negocios, un balneario construido en el siglo IX. El tercer lugar es para la empresa vitivinícola francesa Château de Goulaine, que data del año 1000. Los siguientes lugares hasta el décimo son para empresas europeas, concretamente francesas, italianas y alemanas.

La primera empresa española de la lista, en el puesto 17, es Codorníu, fundada en el año 1551. Pionera en utilizar el "método tradicional" para crear un vino espumoso, actualmente la empresa es una sociedad anónima controlada por la decimosexta generación de la familia Raventós.

La segunda empresa española de la lista la encontramos en el puesto 94. Se trata de la bodega gaditana Osborne, fundada por el comerciante inglés Thomas Osborne Mann en 1772. El símbolo de la empresa, la silueta de un toro bravo, es uno de los iconos más característicos de España y, en especial, de las carreteras españolas.

El resto de empresas hasta el número 100 son en su mayoría británicas, estadounidenses, italianas, alemanas y japonesas. Holanda tiene tres empresas en esta lista y Suiza, Chile, Suecia, Noruega, Sudáfrica, Austria, México, Irlanda y Portugal, una cada uno.

D. ¿Conoces alguna empresa familiar de tu país? ¿Qué tipo de empresa es? ¿Es muy antigua? Coméntalo con tus compañeros.

Y además... ↘

De compras por...
Buenos Aires

A. Lee estos textos sobre tres centros comerciales de Buenos Aires y, después, contesta a las preguntas.

Patio Bullrich. Patio Bullrich es uno de los centros comerciales más elegantes de Buenos Aires. Antiguo centro de subastas, este *shopping* cuenta, entre su selecta y variada oferta, con más de 89 locales comerciales, 15 espacios gastronómicos (desde restaurantes de lujo hasta locales de *fast food* o comida rápida), un complejo de seis cines, un área de entretenimientos, un parking subterráneo, etc. Patio Bullrich está en la Avenida del Libertador y abre todos los días de 10:00 a 21:00 h.

Galerías Pacífico. En la calle Florida, emplazadas en un conocido edificio histórico de la ciudad, están las Galerías Pacífico. Uno de los mayores atractivos de este centro comercial es el propio edificio (declarado en 1989 Monumento Histórico Nacional) y en particular la cúpula central, con los frescos de Berni, Castagnino, Colmeiro, Spilimbergo y Urruchua. En el *shopping* hay más de 150 establecimientos: joyerías, perfumerías, zapaterías, restaurantes,

librerías, tiendas de ropa, etc. En el mismo edificio se encuentra también el Centro Cultural Borges, un espacio multidisciplinar donde se realizan exposiciones, talleres, seminarios, charlas y conciertos, así como clases de fotografía, de teatro, de artes plásticas, etc. Galerías Pacífico abre de lunes a sábado de 10:00 a 21:00 h y los domingos de 12:00 a 21:00 h.

Buenos Aires Design. Buenos Aires Design es el primer y único *mall* temático dedicado enteramente al diseño y a la decoración. Está situado en el barrio de la Recoleta, uno de los preferidos tanto por los turistas como por los propios porteños, y está especializado en objetos de diseño de vanguardia. El centro tiene una espectacular terraza, de más de 3000 m², desde donde se puede disfrutar de una formidable vista de la Recoleta. Buenos Aires Design abre de lunes a viernes de 10:00 a 21:00 h, los sábados de 10:00 a 21:00 h y los domingos de 12:00 a 21:00 h.

Patio Bullrich

¿Qué hay? ....

....

¿Dónde está? ....

¿Qué horario tiene? ....

Galerías Pacífico

¿Qué hay? ....

....

¿Dónde está? ....

¿Qué horario tiene? ....

Buenos Aires Design

¿Qué hay? ....

....

¿Dónde está? ....

¿Qué horario tiene? ....

B. En los textos aparecen algunas palabras inglesas. Márcalas. ¿Sabes cómo se dicen en español?

Y además... ↘

A. ¿Sabes qué es el turismo ecológico? Coméntalo con tus compañeros. Luego, en grupos, intentad hacer una lista de palabras que pueden aparecer en un texto sobre turismo ecológico. Luego, leed el texto y comprobad si aparecen las palabras de vuestra lista. Finalmente, intentad definir "turismo ecológico" en una frase.

Turismo ecológico:
un negocio con futuro

El turismo es uno de los sectores más importantes de la economía y uno de los que más crece. Millones de personas se mueven cada año por el mundo buscando nuevas sensaciones y experiencias únicas. Esto produce grandes beneficios económicos a muchos países pero también suele ser perjudicial para el medioambiente. El turismo ecológico se presenta como una alternativa respetuosa con el medioambiente y beneficiosa para las comunidades locales. Pero, ¿qué es exactamente?

El turismo ecológico consiste en viajar a zonas del planeta donde la naturaleza se conserva relativamente intacta (parques nacionales, reservas biológicas, reservas forestales, etc.) con el objetivo de conocer la cultura y la historia de la zona, cuidar el ecosistema y ayudar económicamente a la población local. El turismo ecológico ofrece, por tanto, una alternativa de crecimiento económico y desarrollo sostenible a muchas comunidades, territorios y países.

Las empresas y los proyectos que ofrecen este tipo de servicio a los viajeros tienen que cumplir una serie de condiciones para ser considerados "ecoturismo". Algunos de estos requisitos son: ayudar a la conservación de la arquitectura local, usar energías renovables, seleccionar y reciclar residuos, fomentar la preservación y difusión de la cultura y de las tradiciones del territorio, consumir productos del lugar, ayudar económicamente a la población local y contribuir a la biodiversidad de las especies autóctonas.

B. ¿Qué diferencias hay entre el turismo ecológico y el turismo convencional? Completa este cuadro con tu opinión. Luego, coméntalo con tus compañeros.

	Turismo ecológico	Turismo convencional
Es más ecológico.		
Es más caro.		
Es más divertido.		
Es más solidario.		
Es más interesante.		

C. Ahora, lee el siguiente texto. ¿Crees que el proyecto "Caminos posaderos andinos" puede considerarse turismo ecológico? ¿Qué requisitos de los mencionados en el texto anterior cumple?

Las **mucuposadas**: una experiencia única de alojamiento en los **Andes** venezolanos

Las mucuposadas ("mucu" significa "lugar" en la lengua de los antiguos habitantes de la zona) son casas andinas tradicionales rehabilitadas por sus propietarios, generalmente campesinos de la zona, para alojar a los turistas que hacen senderismo por los Andes venezolanos. Suelen estar situadas dentro de parques naturales, en plena naturaleza, y están regentadas por familias. De esta forma, el visitante experimenta el modo de vida tradicional de las familias andinas en sus casas de toda la vida. En las mucuposadas se sirve comida elaborada con productos frescos del lugar. Hay mucuposadas en diferentes puntos de las diversas rutas de "Caminos posaderos andinos", una serie de antiguos caminos y senderos que atraviesan los parques nacionales Sierra de La Culata y El Nevado, en la cordillera de Mérida. Los itinerarios recorren paisajes espectaculares y de una gran riqueza ecológica: la selva nublada, los bosques, donde se cultiva el café y el cacao, el páramo, etc.

Y además... ↘

El tiempo y el espacio

A. Lee este texto del escritor y periodista Julio Camba (1882-1962). ¿Cómo crees que termina la historia? Escribe el final en tu cuaderno.

Tengo que hablar con un amigo y le pregunto cuándo podemos reunirnos.

–¿Qué tal mañana por la mañana? –me pregunta.

–Muy bien. ¿A qué hora?

–A cualquier hora. Después de almorzar, por ejemplo...

Después de almorzar es algo demasiado vago, demasiado elástico...

–¿A qué hora almuerza usted? –le pregunto yo.

–¿Que a qué hora almuerzo? Pues a la hora en que almuerza todo el mundo: a la hora de almorzar.

–Pero, ¿a qué hora es la hora de almorzar para usted? ¿Las doce del mediodía? ¿La una? ¿Las dos?

–Por ahí, por ahí... –dice mi amigo–. Yo almuerzo normalmente de una a dos, aunque a veces me siento a la mesa cerca de las tres. De todos modos, a las cuatro siempre estoy libre. Claro que, si me retraso unos minutos –añade–, usted me espera, por favor. Quien dice a las cuatro, dice a las cuatro y cuarto o cuatro y media. En fin, de cuatro a cinco voy a estar en el café.

Yo quiero puntualizar:

–Digamos a las cinco, entonces.

–¿A las cinco? Muy bien. A las cinco. Es decir, de cinco a cinco y media. Uno no es un robot. ¿Y si me rompo una pierna?

–Pues quedamos a las cinco y media –propongo yo.

Entonces, a mi amigo se le ocurre una idea genial.

–¿Por qué no nos citamos a la hora del aperitivo? –sugiere.

Hay una nueva discusión para fijar en términos de reloj la hora del aperitivo. Finalmente, decidimos quedar entre las siete y las ocho. Al día siguiente dan las ocho y, por supuesto...

(adaptado de *La rana viajera*)

B. Ahora, en grupos de tres o de cuatro, elegid el mejor final.

A. Lee este texto sobre la vida laboral de los españoles y subraya las informaciones que más te sorprenden.

La vida laboral de los españoles

Según datos de la Oficina de Estadística Europea, los españoles pasan más horas en la oficina que sus vecinos europeos. En concreto, 38,2 horas a la semana frente a las 36,3 del resto de trabajadores europeos. Obviamente, esto no es bueno para la vida familiar. De hecho, el 79% de los españoles se queja de que tiene poco tiempo para dedicar a la familia. Y es que, además, los españoles tienen de media solo 22,8 días de vacaciones al año, mientras que la media europea es de 25,1 días. Por supuesto, los niños sufren las consecuencias de estos horarios. De media, los niños españoles llegan al colegio una hora antes que sus vecinos europeos y salen dos horas más tarde que en muchos países.

Resulta paradójico comprobar que a pesar del espectacular crecimiento económico de los últimos años, las condiciones laborales en España son todavía mejorables. Aunque las cosas están cambiando rápidamente, en España en general las empresas todavía no dan muchas facilidades para compaginar la vida laboral y la vida familiar. Alrededor de un 60% de las empresas no ofrecen, por ejemplo, jornadas a tiempo parcial, ni la posibilidad de alargar el periodo por baja maternal. Estos datos contrastan con los de países como Finlandia o Reino Unido, que sí ofrecen normalmente estas opciones a sus empleados. Otro dato curioso es que, para la mayoría de españoles, el trabajo forma parte de la vida privada. De hecho, según un estudio reciente, el 84% de los trabajadores españoles afirma tener uno o más compañeros de trabajo que, además, son amigos.

B. ¿Cómo es la vida laboral en tu país? ¿Y en otros países que conoces? ¿Es muy diferente de la vida laboral de los españoles? Coméntalo con tus compañeros.

Y además... ↘

A. ¿Sabes qué es el comercio justo? Antes de leer el texto, marca si estas frases te parecen verdaderas (V) o falsas (F). Luego, lee el texto y compruébalo.

	V	F
1. El comercio justo tiene como objetivo ayudar a los productores de los países pobres.		
2. El respeto al medioambiente no es una de las prioridades del comercio justo.		
3. Los productores locales normalmente forman parte de cooperativas.		
4. El comercio justo es igual de importante económicamente que el comercio convencional.		
5. Las tiendas solidarias son solo puntos de venta de productos de comercio justo.		

Comercio justo

Café de Colombia, plátanos de Ecuador, ropa de Taiwan o de Marruecos, mermelada de Kenia, miel mexicana, tapices peruanos... Todos estos productos y muchos más se pueden comprar en las llamadas "tiendas solidarias", también conocidas como "tiendas de comercio justo".

El comercio justo es una forma de ayuda a los países pobres que consiste en crear sistemas de intercambio comercial equitativos entre productores y consumidores. Los objetivos de este sistema alternativo de comercio son dignificar las condiciones laborales y sociales de los trabajadores de los países pobres, evitar las abusivas relaciones comerciales entre el Norte y el Sur, proteger los derechos infantiles y preservar el medioambiente.

En la práctica, el comercio justo consiste en que empresas u organizaciones de países ricos compran directamente a los campesinos y artesanos de los países pobres (organizados normalmente en cooperativas) a un precio justo. Como es lógico, este tipo de comercio no puede competir de igual a igual con el comercio convencional, pero poco a poco su presencia e influencia aumenta. Cabe señalar que la mayoría de las tiendas solidarias no son solo puntos de venta de productos de comercio justo sino que funcionan también como centros de información y sensibilización y como plataformas de desarrollo de proyectos de cooperación.

B. ¿Hay alguna tienda solidaria en tu ciudad? ¿Cómo se llama? ¿Qué productos vende? Coméntalo con tus compañeros.

C. Ahora, mira las fotos de estos productos de comercio justo y relaciona cada uno con su descripción correspondiente.

Azúcar de caña de producción ecológica.

Balón de fútbol elaborado en Pakistán.

Mermelada de piña elaborada en Laos.

Café biológico en grano compuesto por una mezcla de café de Perú, Bolivia, México y Nicaragua.

Espagueti de quinoa.

Bebida gaseosa a base de guaraná de Brasil y azúcar de caña de Costa Rica.

Galletas de miel con anacardos.

Tabletas de chocolate con azúcar integral de caña.

Crema de manos con Aloe vera.

Y además... ↘

A. Hacer negocios en un país extranjero no es fácil. Cada país, cada cultura tiene sus propias reglas y costumbres y es importante conocerlas para evitar malentendidos. Lee el texto y escribe el título de cada apartado en su lugar correspondiente.

PUNTUALIDAD   **CONTACTO FÍSICO**   **REGALOS**   **DISTANCIA**

Para tener éxito en la comunicación en un país extranjero, es imprescindible conocer no solo la lengua sino los códigos culturales de ese país y de esa cultura. Conocer las reglas y las costumbres que rigen la cultura nueva y asumir las diferencias con nuestra cultura son aspectos fundamentales para tener una comunicación fluida y exitosa. Veamos algunos aspectos, muy generales, que pueden provocar malentendidos en un contexto empresarial.

En España, acercarse bastante a la persona con la que estamos hablando es algo normal y se puede considerar como una señal de sinceridad y confianza. En otras culturas, como la estadounidense por ejemplo, este mismo hecho se suele interpretar como algo descortés.

En Asia, por lo general, no hay contacto ni al saludar ni al hablar con otras personas. En España, en cambio, es muy habitual darse la mano e incluso darse un abrazo en el momento de saludarse. En Alemania, el abrazo se usa entre buenos amigos pero casi nunca en un contexto laboral.

Este es sin duda uno de los aspectos más controvertidos. Los japoneses y los alemanes, por ejemplo, suelen ser muy puntuales y consideran la impuntualidad como algo inaceptable y muy irrespetuoso.

En la mayoría de países latinos, sin embargo, somos un poco más flexibles en este aspecto; una demora de no más de diez minutos se suele considerar aceptable e incluso normal, también en un ámbito profesional.

En algunas culturas, es habitual hacer algún obsequio antes de una primera reunión. De hecho, no hacerlo puede resultar muy ofensivo. Sin embargo, en otros países, como Alemania, Bélgica

o el Reino Unido, hacer un regalo puede tener justamente el efecto contrario. Regalar flores también puede resultar un problema si no acertamos con el color. Algunas flores blancas se asocian con la muerte en Japón. En Brasil y en México, en cambio, son las moradas.

B. Según el texto, ¿qué cosas pueden producir un malentendido cultural? ¿Qué otros aspectos que no aparecen en el texto pueden producirlos? ¿Has tenido alguna vez un malentendido en un contexto laboral? Coméntalo con tus compañeros.

C. Ahora, con la ayuda del texto y con tu propia experiencia, escribe los cinco consejos más importantes para alguien que va a tu país a hacer negocios.

1. **Hay que...**

2.

3.

4.

5.

Y además... ↘

A. Aquí tienes cuatro ofertas de viajes a cuatro países latinoamericanos. Antes de leer los textos, en grupos, apuntad en el cuadro palabras que asociáis con cada país.

Costa Rica	Perú	Venezuela	Uruguay

B. Ahora, lee los textos. ¿Qué viaje prefieres? ¿Por qué? Coméntalo con tus compañeros.

COSTA RICA

Tortuguero-Manzanillo-Volcán Arenal-Monteverde

Si buscas naturaleza virgen y paisajes fascinantes, eso y mucho más lo encontrarás en Costa Rica. En Tortuguero verás caimanes, enormes mariposas y, por supuesto, tortugas. De aquí te trasladarás a Manzanillo, en el extremo sur del Caribe, una costa prácticamente virgen. En el volcán Arenal disfrutarás de aguas termales de hasta 60 grados de temperatura y podrás ver cómo cae la lava. El último destino es Monteverde, un mágico lugar rodeado de selvas húmedas. Costa Rica es pura vida.
12 días desde 1990 €

PERÚ

Lima-Cuzco-Machu Picchu-Valle Sagrado

Un viaje inolvidable por la cuna del Imperio Inca, desde los barrios coloniales de Lima hasta Machu Picchu pasando por Cuzco, "el ombligo del mundo", con sus empinadas calles de piedra. Y como en este tipo de viaje no puede faltar la aventura, podrás hacer *rafting* por el río Urumbaba y senderismo por el mítico Camino Inca. Las aldeas del Valle Sagrado (Písac, Ollantaybambo y Yucay) también forman parte de la ruta.
15 días desde 1700 €

VENEZUELA
Caracas-Isla Margarita-Canaima-Delta del Orinoco

Tras dos días visitando Caracas a nuestro aire, nos trasladaremos a Isla Margarita, donde pasaremos cuatro días de sol y playa. De aquí nos iremos al Parque Nacional de Canaima para ver el famoso Salto del Ángel, la caída de agua más alta del mundo. La última parada es el Delta del Orinoco, donde visitaremos una comunidad de indios *warao*. La oferta incluye el vuelo de ida y vuelta a Caracas, el alojamiento y los vuelos interiores, pero no las tasas de aeropuerto ni el seguro de viaje.

14 días desde 2290 €

URUGUAY
Montevideo-Punta del Este-Cabo Polonio-Colonia

Empezaremos el viaje en la capital, Montevideo, que nos sorprenderá por su aroma sencillo y encantador. Continuaremos el viaje en la ciudad balneario de Punta del Este, donde podremos disfrutar de su animada vida nocturna y cultural y de sus playas. A continuación, nos dirigiremos al Cabo Polonio, un remanso de paz, mitad balneario, mitad comuna *hippie*. Nuestro último destino será Colonia del Sacramento, con su preciosa arquitectura colonial, declarada Patrimonio Mundial por la Unesco.

13 días desde 1895 €

C. Piensa en una ruta interesante por tu país y escribe un texto similar a los anteriores.

Y además... ↘

A. ¿Te gusta el yogur? ¿Crees que es un producto español? ¿Sabes dónde y cuándo empezó a fabricarse industrialmente? Lee el texto para descubrirlo.

Breve historia del yogur

Hasta finales del siglo XIX, el yogur era un alimento casi exclusivo de países asiáticos como la India y del este de Europa como Bulgaria. A principios del siglo XX, el biólogo ruso Ilya Mechnikov, ganador del Premio Nobel en 1908 y director del Instituto Pasteur de París, expuso una teoría según la cual el yogur era el secreto de la larga vida del pueblo búlgaro. Un español de origen judío, Isaac Carasso, se entusiasmó con las ideas de Mechnikov y en 1919 instaló en Barcelona la primera fábrica de yogur del mundo. Comenzó a vender tarritos en la farmacia de la ciudad con el lema "el postre de la digestión feliz". El negoció prosperó rápidamente y en 1929 Carasso inauguró una fábrica en Francia, dirigida por su hijo Daniel, que fue quien le puso el nombre de Danone a la empresa.

Durante la Segunda Guerra Mundial, Daniel Carasso emigró a Estados Unidos y se instaló en Nueva York, donde abrió una modesta fábrica en el Bronx. Aunque al principio solo producía 200 yogures al día, en poco tiempo esta pequeña fábrica se convirtió en una gran empresa que se extendió por muchos otros estados. Años más tarde, el producto de Carasso volvió a España. Fue presentado como una novedad, esta vez acompañado de la publicidad y del prestigio propios de una marca internacional.

B. Ahora, completa estas frases con la información del texto.

A principios del siglo XX, Ilya Mechnikov ....

En 1919 el español Isaac Carasso ....

y en 1929 ....

Su hijo Daniel Carasso ....

Durante la Segunda Guerra Mundial ....

Al principio ....

En poco tiempo ....

Años más tarde ....

G

Gramática

NÚMEROS DEL 0 AL 20

0	cero		
1	uno	11	once
2	dos	12	doce
3	tres	13	trece
4	cuatro	14	catorce
5	cinco	15	quince
6	seis	16	dieciséis
7	siete	17	diecisiete
8	ocho	18	dieciocho
9	nueve	19	diecinueve
10	diez	20	veinte

ALFABETO

A a	(a)
B b	(be)*
C c	(ce)
Ch ch	(che)
D d	(de)
E e	(e)
F f	(efe)
G g	(ge)
H h	(hache)
I i	(i)
J j	(jota)
K k	(ka)
L l	(ele)
Ll ll	(elle)
M m	(eme)
N n	(ene)
Ñ ñ	(eñe)
O o	(o)
P p	(pe)
Q q	(cu)
R r	(erre)
S s	(ese)
T t	(te)
U u	(u)
V v	(uve)*
W w	(uve doble)
X x	(equis)
Y y	(i griega)
Z z	(zeta)

Las letras tienen género femenino: **la a**, **la be**, **la ce**...

*En algunos países de Latinoamérica, las letras **be** y **uve** se llaman **be larga** y **ve corta**.

LETRAS Y SONIDOS

B/V
En español **b** y **v** se pronuncian igual.
ba, **be**, **bi**, **bo**, **bu**
banco, I**be**ria, **Bi**lbao, **Bo**livia, **Bu**rgos
va, **ve**, **vi**, **vo**, **vu**
Valencia, **ve**inte, tele**vi**sión, nue**vo**, **vu**elta

C/QU
Delante de **a**, de **o**, de **u** y a final de sílaba, la **c** se pronuncia como una **k**. **Qu**, delante de **e** y de **i**, se pronuncia siempre como una **k**. ¡Atención! La **u** no se pronuncia.
ca, **co**, **cu**
caja, **Co**lombia, **Cu**enca, a**c**tual
que, **qui**
pelu**que**ría, **quí**mica

C/Z
Delante de **e** y de **i**, la **c** se pronuncia como *th* en inglés. Delante de **a**, de **o**, de **u** y a final de sílaba, la **z** se pronuncia también como *th* en inglés. ¡Atención! En la mayoría del sur de España, en las Islas Canarias y en Latinoamérica se pronuncian como una **s**.
za, **zo**, **zu**
Zaragoza, **zo**o, Vene**zu**ela, pa**z**
ce, **ci**
centro, **ci**nco

CH
Ch se pronuncia como la **ch** en la palabra inglesa *cheese*.
chocolate, co**ch**e

G/GU
La **g**, delante de **a**, de **o** y de **u**, se pronuncia suave, como la **g** en la palabra inglesa *good*. La **u** de **gue** y **gui** no se pronuncia.
ga, **go**, **gu**
García, **Gó**mez, **Gu**atemala
gue, **gui**
guerra, **Gui**púzcoa

G/J
La **g**, delante de **i** y de **e**, y la **j** tienen una pronunciación fuerte.
ge, **gi**
a**ge**ncia, E**gi**pto
ja, **je**, **ji**, **jo**, **ju**
jamón, e**je**mplo, **Ji**ménez, **jo**ta, **ju**ego

La **H** no se pronuncia.
Holanda, **h**otel, alco**h**ol

La **LL** tiene diferentes pronunciaciones según las regiones, pero en general se pronuncia de manera semejante a la **y** de *you* en inglés o a la **j** alemana.
mi**ll**ones, pae**ll**a, Ma**ll**orca

La **Ñ** se pronuncia como *gn* en francés.
ni**ñ**o, Espa**ñ**a

La **R** se pronuncia fuerte a principio de palabra, cuando es doble y después de **l** o **n**.
rueda, a**rr**oz, al**r**ededor, En**r**ique

PRESENTE DE INDICATIVO DE SER Y LLAMARSE

SER

(yo)	**soy**
(tú)	**eres**
(él, ella, usted)	**es**
(nosotros, nosotras)	**somos**
(vosotros, vosotras)	**sois**
(ellos, ellas, ustedes)	**son**

Normalmente el pronombre personal no es necesario porque la terminación del verbo indica la persona de que se trata. Usamos el pronombre cuando queremos diferenciar o contrastar la persona frente a otra o para evitar confusiones.

¿Eres Cristina?

No, yo soy Carmen, Cristina es ella.

LLAMAR**SE**

(yo)	**me** llam**o**
(tú)	**te** llam**as**
(él, ella, usted)	**se** llam**a**
(nosotros, nosotras)	**nos** llam**amos**
(vosotros, vosotras)	**os** llam**áis**
(ellos, ellas, ustedes)	**se** llam**an**

DEMOSTRATIVOS

Utilizamos los demostrativos **este**, **esta**, **estos** y **estas** para señalar algo cerca de quien habla o para presentar a una persona.

	MASCULINO	FEMENINO
SINGULAR	**este**	**esta**
PLURAL	**estos**	**estas**

- **Este** es Mario.
- **Estos** son Mario y Ana.
- **Esta** es María.
- **Estas** son María y Ana.

Usamos **esto** para señalar cosas que no conocemos o para presentar cosas que la otra persona desconoce. ¡Atención! No se usa con personas.

- ¿Qué es **esto**?
- **Esto** es un bolígrafo.

ADJETIVOS DE NACIONALIDAD

MASCULINO	FEMENINO
-o	**-a**
italian**o**	italian**a**
suec**o**	suec**a**

-consonante	**-consonante + a**
alem**án**	aleman**a**
holand**és**	holandes**a**

MASCULINO Y FEMENINO
estadounid**ense**, belg**a**, marroqu**í**...

RECURSOS PARA LA COMUNICACIÓN

Preguntar por el nombre y la nacionalidad
- **¿Cómo te llamas?**
- **¿De dónde eres?**
- **¿Cómo se llama usted?**
- **¿De dónde es?**
- (**Me llamo**) María.
- (**Soy**) española.
- (**Me llamo**) Luis Cortés.
- (**Soy**) español.

Preguntas útiles en clase
- **¿Qué significa** "farmacia"?
- **¿Cómo se pronuncia** "farmacia"?
- **¿Cómo se escribe** "farmacia"?
- **¿Cómo se dice** esto **en español?**
- **¿Puedes repetir, por favor?**

Expresar opinión
- **Creo que** Rosa López es española.

NÚMEROS DEL 20 AL 99

20	veinte
21	veintiuno
22	veintidós
23	veintitrés
24	veinticuatro
...	...
30	treinta
31	treinta y uno
...	...
40	cuarenta
42	cuarenta y dos
...	...
50	cincuenta
53	cincuenta y tres
...	...
60	sesenta
64	sesenta y cuatro
...	...
70	setenta
75	setenta y cinco
...	...
80	ochenta
86	ochenta y seis
...	...
90	noventa
99	noventa y nueve

NÚMEROS ORDINALES

1º	primero/a *	6º	sexto/a
2º	segundo/a	7º	séptimo/a
3º	tercero/a *	8º	octavo/a
4º	cuarto/a	9º	noveno/a
5º	quinto/a	10º	décimo/a

* en el primero en el primer piso
  en el tercero en el tercer piso

GÉNERO DEL SUSTANTIVO

MASCULINO	FEMENINO
-o	**-a**
ingeniero	ingeniera
-consonante	**-consonante + a**
vendedor	vendedora

Algunos sustantivos tienen una sola forma para los dos géneros: **el/la** estudiante, **el/la** recepcionista.

PRESENTE DE LOS VERBOS REGULARES

En español hay tres grupos de verbos:
– verbos con la terminación **-ar** (trabaj**ar**, estudi**ar**...),
– verbos con la terminación **-er** (vend**er**, comprend**er**...),
– verbos con la terminación **-ir** (viv**ir**, escrib**ir**...).

Presente de los verbos en -AR
Todos los verbos regulares terminados en **-ar** siguen este modelo:

TRABAJAR

(yo)	trabaj**o**
(tú)	trabaj**as**
(él, ella, usted)	trabaj**a**
(nosotros/as)	trabaj**amos**
(vosotros/as)	trabaj**áis**
(ellos/as, ustedes)	trabaj**an**

LLAMARSE

(yo)	me llam**o**
(tú)	te llam**as**
(él, ella, usted)	se llam**a**
(nosotros/as)	nos llam**amos**
(vosotros/as)	os llam**áis**
(ellos/as, ustedes)	se llam**an**

Presente de los verbos en -ER
Todos los verbos regulares terminados en **-er** siguen este modelo:

VENDER

(yo)	vend**o**
(tú)	vend**es**
(él, ella, usted)	vend**e**
(nosotros/as)	vend**emos**
(vosotros/as)	vend**éis**
(ellos/as, ustedes)	vend**en**

Presente de los verbos en -IR
Todos los verbos regulares terminados en **-ir** siguen este modelo:

VIVIR

(yo)	viv**o**
(tú)	viv**es**
(él, ella, usted)	viv**e**
(nosotros/as)	viv**imos**
(vosotros/as)	viv**ís**
(ellos/as, ustedes)	viv**en**

PRESENTE DE LOS VERBOS IRREGULARES TENER Y HACER

	TEN**ER**	HAC**ER**
(yo)	ten**go**	ha**go**
(tú)	ti**e**nes	haces
(él, ella, usted)	ti**e**ne	hace
(nosotros/as)	tenemos	hacemos
(vosotros/as)	tenéis	hacéis
(ellos/as, ustedes)	ti**e**nen	hacen

EL ARTÍCULO

Artículo definido
	MASCULINO	FEMENINO
SINGULAR	**el** banco	**la** empresa
PLURAL	**los** bancos	**las** empresas

Artículo indefinido
	MASCULINO	FEMENINO
SINGULAR	**un** banco	**una** empresa
PLURAL	**unos** bancos	**unas** empresas

EN COMO PREPOSICIÓN DE LUGAR

- Vivo **en** la calle Atocha.
- Vivo **en** el tercero.
- Trabajo **en** un hospital.
- Estudio **en** la Universidad Complutense.
- Vivo **en** París.
- Trabajo **en** BMW.

RECURSOS PARA LA COMUNICACIÓN

Preguntar por datos personales
TÚ	USTED
¿Cómo **te** llam**as**?	¿Cómo **se** llam**a**?
¿Y de apellido?	¿Y de apellido?
¿Cuál es **tu** apellido?	¿Cuál es **su** apellido?
¿Cuántos años tien**es**?	¿Cuántos años tien**e**?
¿Cuál es **tu** estado civil?	¿Cuál es **su** estado civil?

Preguntar por la profesión o los estudios
TÚ	USTED
¿Dónde trabaj**as**?	¿Dónde trabaj**a**?
¿Dónde estudi**as**?	¿Dónde estudi**a**?
¿Qué estudi**as**?	¿Qué estudi**a**?
¿A qué **te** dedic**as**?	¿A qué **se** dedic**a**?
¿Qué hac**es**?	¿Qué hac**e**?

Informar sobre la profesión o los estudios
- **Soy** ingeniero/a.
- **Trabajo en** un banco.
- **Trabajo de** camarero/a.

- **Estudio** Derecho.
- **Estudio en** la Universidad de Maastricht.

Preguntar por la dirección
TÚ	USTED
¿Cuál es **tu** dirección?	¿Cuál es **su** dirección?
¿Dónde viv**es**?	¿Dónde viv**e**?
¿En qué número (viv**es**)?	¿En qué número (viv**e**)?
¿En qué piso (viv**es**)?	¿En qué piso (viv**e**)?

Preguntar por el número de teléfono y por el correo electrónico
TÚ
¿Cuál es **tu** número de teléfono?
¿Cuál es **tu** número de móvil?
¿Cuál es **tu** correo electrónico?

USTED
¿Cuál es **su** número de teléfono?
¿Cuál es **su** número de móvil?
¿Cuál es **su** correo electrónico?

Pedir la dirección, el número de teléfono y el correo electrónico
TÚ
¿Me das tu dirección?
¿Me das tu número de teléfono?
¿Me das tu correo electrónico?

USTED
¿Me da su dirección?
¿Me da su número de teléfono?
¿Me da su correo electrónico?

Preguntar por algo que no conocemos
- **¿Qué es** Carrefour?
- **(Es) un** supermercado.

- **¿Qué es** Iberia?
- **(Es) una** compañía aérea.

Hablar de la función de algo
- Esto es el carné de identidad y **sirve para** identificarse.

NÚMEROS DEL 100 AL 1000

El número 100 se dice **cien** en español. A partir de 101, usamos la forma **ciento**.

100	**cien**
101	**ciento** uno
120	ciento veinte
130	ciento treinta
200	doscientos
300	trescientos
400	cuatrocientos
500	**quini**entos
600	seiscientos
700	s**e**tecientos
800	ochocientos
900	n**o**vecientos
999	n**o**vecientos noventa y nueve
1000	mil

¡Atención!

34	treinta **y** cuatro
304	trescientos **Ø** cuatro
434	cuatrocientos **Ø** treinta y cuatro

NÚMEROS: MASCULINO Y FEMENINO

Los números comprendidos entre 200 y 999 tienen una forma femenina y otra masculina según el sustantivo al que se refieran.

200	doscient**os** banc**os**
	doscient**as** fábric**as**
322	trescient**os** veintidós emplead**os**
	trescient**as** veintidós person**as**
910	novecient**os** diez hotel**es** (**el** hotel)
	novecient**as** diez sucursal**es** (**la** sucursal)

ARTÍCULO INDEFINIDO UNOS/UNAS

Para expresar cantidades aproximadas, usamos el artículo indefinido **unos/unas** + número. Fíjate en que el artículo concuerda con el sustantivo.

- El Grupo Inditex (Zara, Pull and Bear, Massimo Dutti...) tiene **unos** 40 000 emplead**os** y **unas** 3000 tiend**as** en todo el mundo.

PRESENTE DE INDICATIVO: SÍLABA TÓNICA

Los verbos en Presente tienen la sílaba tónica (la parte subrayada) en la penúltima sílaba, excepto en la segunda persona del plural; en este caso, el acento recae en la última sílaba.

FABRIC**AR**

(yo)	fabric**o**
(tú)	fabric**as**
(él, ella, usted)	fabric**a**
(nosotros/as)	fabric**amos**
(vosotros/as)	fabric**áis**
(ellos/as, ustedes)	fabric**an**

VEND**ER**

(yo)	vend**o**
(tú)	vend**es**
(él, ella, usted)	vend**e**
(nosotros/as)	vend**emos**
(vosotros/as)	vend**éis**
(ellos/as, ustedes)	vend**en**

VIV**IR**

(yo)	viv**o**
(tú)	viv**es**
(él, ella, usted)	viv**e**
(nosotros/as)	viv**imos**
(vosotros/as)	viv**ís**
(ellos/as, ustedes)	viv**en**

NÚMERO DE LOS SUSTANTIVOS

SINGULAR	PLURAL
-vocal	**-vocal + s**
fábric**a**	fábrica**s**
oficin**a**	oficina**s**
restaurant**e**	restaurante**s**
emplead**o**	emplead**os**
supermercad**o**	supermercado**s**
-consonante	**-consonante + es**
ciuda**d**	ciudad**es**
hote**l**	hotel**es**
sucursa**l**	sucursal**es**
ordenado**r**	ordenador**es**
paí**s**	país**es**

ADJETIVOS POSESIVOS

Los adjetivos posesivos tienen forma en singular y en plural, según el sustantivo al que acompañan. Solo en las formas de la primera y la segunda persona del plural hay distinción entre masculino y femenino: **nuestro(s)/nuestra(s)**, **vuestro(s)/vuestra(s)**.

SINGULAR		PLURAL	
mi		**mis**	
tu		**tus**	
su	teléfono	**sus**	teléfono**s**
nuestro/a	empresa	**nuestros/as**	empresa**s**
vuestro/a		**vuestros/as**	
su		**sus**	

PRONOMBRE RELATIVO QUE

El pronombre relativo **que** sirve para introducir una oración subordinada que da más información sobre un sustantivo o que ayuda a identificarlo.

- Sanitax es un hospital **que** está en Barcelona.

RECURSOS PARA LA COMUNICACIÓN

Hablar de la actividad que realiza una empresa

- **¿Qué es?**
  ¿Qué tipo de empresa es?
  ¿Qué hace?

- **Es**   un banco italiano.
          una escuela de turismo.
          una empresa suiza que exporta queso.

Hablar del número de empleados, etc.

- **¿Cuántos** empleados   **tiene?**
            estudiantes
            laboratorios

  ¿Cuántas fábricas   **tiene?**
            oficinas
            sucursales

- **Tiene**   quinientos empleados.
          quinientas oficinas.
          unos quinientos empleados.
          (aproximadamente 500)
          unas quinientas oficinas.
          (aproximadamente 500)

Hablar de la nacionalidad

- **¿De dónde es?**
- **Es**   francesa.
          una empresa alemana.
          suizo.
          un banco español.

Hablar de la ubicación

- **¿Dónde está?**
- **Está en** Colombia.
          más de veinte países.
          la calle Goya, 115.

> Yo trabajo en Vuela Air. Es una compañía aérea de bajo coste. Está en Valencia y tiene unos cien trabajadores.

Expresar coincidencia

- España produce naranjas, ¿no?
- Sí, y Estados Unidos **también**.

- Trabajo en una agencia de viajes, ¿y tú?
- **Yo también.**

Expresar cierta inseguridad o duda ante una información

- Iberia es una compañía aérea.
- **Sí, creo que sí.**

- Creo que España produce petróleo.
- **No, creo que no.**

- Aquí creo que el señor Padilla está en México.
- **No sé.** Yo creo que **quizá** está en Argentina.

Expresar acuerdo o desacuerdo ante una propuesta

- Nuestra empresa es una cadena de hoteles.
- **No, mejor** una empresa de vinos.
- **Sí, muy bien.**
  Vale.

EL VERBO ESTAR: FORMA Y USOS

(yo)	**estoy**
(tú)	**estás**
(él, ella, usted)	**está**
(nosotros/as)	**estamos**
(vosotros/as)	**estáis**
(ellos/as, ustedes)	**están**

Usamos el verbo **estar** para interesarnos por alguien o para saludar.

- ¡Hola! ¿Qué tal? ¿Cómo **estás**?
- Muy bien, gracias. ¿Y tú?

También usamos **estar** para preguntar por la presencia de alguien y para localizar algo o a alguien en el espacio.

- Hola Mónica. Buenos días. ¿**Está** Javier?
- Buenos días. Sí, **está** en su despacho.

EL ADJETIVO

Género

MASCULINO	FEMENINO
-o	**-a**
simpátic**o**	simpátic**a**
seri**o**	seri**a**
tímid**o**	tímid**a**
-or	**-ora**
trabajad**or**	trabajad**ora**
-vocal tónica + n	**-vocal tónica + na**
catalá**n**	catala**na**

MASCULINO Y FEMENINO
Algunos adjetivos tienen una única forma para el masculino y el femenino. Estos adjetivos pueden acabar en vocal (**-a**, **-e**, **-i**, **-u**, **-ista**) o consonante (**-l**, **-n**, **-r**, **-s**, **-z**).

responsabl**e**
competent**e**
profesiona**l**
jove**n**

Número

SINGULAR	PLURAL
-vocal	**-vocal + s**
seri**a**	seri**as**
responsabl**e**	responsable**s**
tímid**o**	tímido**s**
-consonante	**-consonante + es**
profesiona**l**	profesional**es**
jove**n**	jóven**es**
trabajado**r**	trabajador**es**

ADVERBIOS DE CANTIDAD (CUANTIFICADOR + ADJETIVO)

Cualidades positivas

- Inés es **muy** amable.
  bastante simpática.

Cualidades negativas

- Juan es **muy** tímido.
  bastante irresponsable.
  un poco vago.

¡Atención! **Un poco** se usa con adjetivos que expresan cualidades negativas.

LA NEGACIÓN: NO

No puede utilizarse como contrario de **sí**.

- ¿Conoces a Luis?
- **No.**

También puede usarse para negar un verbo. En este caso, se coloca antes del verbo.

- **No** conozco a Luis, ¿y tú?
- Yo sí. Es muy simpático.

- ¿Pablo Moreira trabaja en esta empresa?
- No, **no** trabaja aquí.

CONTRASTE ENTRE LOS ARTÍCULOS DEFINIDOS (EL, LA, LOS, LAS) Y LOS INDEFINIDOS (UN, UNA, UNOS, UNAS)

Utilizamos **el**, **la**, **los**, **las** para referirnos a una persona o a una cosa que tiene una función o una relación única. Con **un**, **una**, **unos**, **unas** expresamos una función o una relación que no es única.

- Gerardo Ruiz es **el** jefe de Personal.
- Julián es **un** compañero de trabajo.
- María es **la** novia de Ignacio.
- Cayetana es **una** amiga de María.

RECURSOS PARA LA COMUNICACIÓN

Saludar

¡Hola! ¿Qué tal?
(¡Hola!) ¿Cómo estás?
(¡Hola!) ¡Buenos días!   (antes de comer)
(¡Hola!) ¡Buenas tardes!   (después de comer)
(¡Hola!) ¡Buenas noches!   (después de cenar)

Despedirse

¡Adiós! ¡Hasta luego!
(¡Adiós!) ¡Buenos días!
(¡Adiós!) ¡Buenas tardes!
(¡Adiós!) ¡Buenas noches!
¡Hasta mañana!

Hablar del cargo de alguien en una empresa

- Concha Sevilla **es** la directora de Producción.
- Gerardo Ruiz **es** el jefe de Personal.

Hablar de la función de alguien en una empresa

- ¿Y tú qué haces?
- **Llevo** el desarrollo de programas informáticos.

- ¿Quién **se encarga de** la contabilidad: Ángel o Luis?
- Ángel. Luis **es el responsable de** la promoción.

¡Atención! Usamos **el/la** si solo hay uno o una, y **un/una** si hay más de uno o una.

- El Sr. López es **el** gerente.
- Maite Redondo es **la** nueva directora.
- Óscar es **un** compañero de trabajo.
- Juana es **una** secretaria de mi empresa.

Pedir y dar información sobre alguien

- ¿**Quién** es (Concha Sevilla)?
- Es la jefa de Producción.

- ¿**Qué** hace?
- **Lleva** el Departamento de Producción.

- ¿**Cómo** es?
- Es muy simpática.

- ¿**De dónde** es?
- Es de Zaragoza.

- ¿**Dónde** vive?
- Vive en la calle Ramonillos.

- ¿**Dónde** trabaja?
- Trabaja en Philis.

Preguntar por la presencia de alguien

- ¿(**Está**) el Sr. Mateo, por favor?
- Sí, **está** en su despacho, en la tercera planta.

- ¿(**Está**) la Sra. Rodríguez?
- No, ahora no **está**.

Presentar a alguien

- (Mira), **este** es Fernando, mi novio.
- (Mira), **esta** es Olga, mi mujer.
- (Mira), **estos** son Carlos y Miguel, unos amigos.
- (Mira), **estas** son Paz y Ana, unas amigas.
- (Mira), **te presento** a Pedro, un compañero de trabajo.
- (Mirad), **os presento** a Juan y a María Luisa, unos compañeros de trabajo.

Formal

- (Mire), **le presento** a la señora Osuna, la nueva directora financiera.
- (Miren), **les presento** a los señores Rodrigo y Barceló, los nuevos directores comerciales.

Reaccionar ante una presentación

¡Hola!
¡Hola! ¿Qué tal?
¡Hola! ¿Cómo estás?

Formal

Encantado/a.
Mucho gusto.

PREPOSICIONES Y LOCUCIONES PREPOSICIONALES PARA LOCALIZAR

en		en el cajón
entre		entre la impresora y el teléfono
cerca de		cerca de la puerta
lejos de		lejos de la casa
al lado de		al lado del ordenador*
delante de		delante de las ventanas
detrás de		detrás de la fotocopiadora
encima de		encima de la silla
debajo de	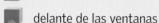	debajo de la mesa
a la izquierda de		a la izquierda del teléfono*
a la derecha de		a la derecha de los papeles
al final de	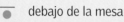	al final del pasillo*
enfrente de		enfrente de la grapadora

*de + el = del

EL VERBO ESTAR

El verbo **estar** sirve para ubicar algo o a alguien en el espacio. Se usa siempre con sustantivos determinados (acompañados de artículos determinados, posesivos, demostrativos...) o con nombres propios.

- Los clientes **están** en Recepción.
- ¿**Está** la señorita Sagredo en su oficina?
- Juan Antonio **está** en la quinta planta.
- Mi casa **está** muy cerca del trabajo.
- Ese restaurante **está** en el centro.

HAY

Hay es la forma impersonal del verbo **haber** y sirve para expresar existencia en un lugar. Se usa siempre con sustantivos indeterminados (acompañados de artículos indeterminados, cuantificadores, numerales...).

- **Hay** un aparcamiento muy cerca de aquí.
- En la oficina **hay** muchos ordenadores.
- En la mesa de Juan **hay** tres rotuladores y dos lápices.
- ¿**Hay** restaurantes en esta calle?

PRESENTE DE INDICATIVO DE IR

(yo)	**voy**	a Correos
(tú)	**vas**	a la tintorería
(él, ella, usted)	**va**	**al** Museo de Bellas Artes*
(nosotros/as)	**vamos**	juntos
(vosotros/as)	**vais**	a la quinta planta
(ellos/as, ustedes)	**van**	**al** cibercafé*

*a + el = al

PRESENTE DE INDICATIVO DE SABER

(yo)	**sé**
(tú)	sabes
(él, ella, usted)	sabe
(nosotros/as)	sabemos
(vosotros/as)	sabéis
(ellos/as, ustedes)	saben

- ¿**Sabes** dónde está la fotocopiadora?
- Sí, al final del pasillo.

TENER QUE + INFINITIVO

Con la perífrasis **tener que** + Infinitivo expresamos la obligación o necesidad de hacer algo.

(yo)	**tengo que**	ir al médico
(tú)	**tienes que**	hacer la compra
(él, ella, usted)	**tiene que**	ordenar la mesa
(nosotros/as)	**tenemos que**	redactar el contrato
(vosotros/as)	**tenéis que**	comprar el billete
(ellos/as, ustedes)	**tienen que**	enviar un e-mail

VERBOS CON CAMBIO O>UE: PODER

Muchos verbos cambian la **o** de su raíz por **ue** cuando esta es tónica. Por ejemplo, el verbo **poder**.

(yo)	p**ue**do	
(tú)	p**ue**des	
(él, ella, usted)	p**ue**de	+ Infinitivo
(nosotros/as)	podemos	
(vosotros/as)	podéis	
(ellos/as, ustedes)	p**ue**den	

- ¿Dónde **podemos** comprar sellos?
- En un estanco y también en una oficina de Correos.

VERBOS CON CAMBIO E>IE: CERRAR

Muchos verbos cambian la **e** de su raíz por **ie** cuando esta es tónica. Por ejemplo, el verbo **cerrar**.

(yo)	c**ie**rro
(tú)	c**ie**rras
(él, ella, usted)	c**ie**rra
(nosotros/as)	cerramos
(vosotros/as)	cerráis
(ellos/as, ustedes)	c**ie**rran

● Los bancos **cierran** muy pronto en mi país.

● ¿Correos **cierra** a la una o a las dos?
● Creo que a la una y media.

● ¿**Cierro** la ventana?
● Sí, por favor.

RECURSOS PARA LA COMUNICACIÓN

Pedir y dar la hora

(en punto)

menos cinco   **y** cinco

menos diez   **y** diez

menos cuarto   **y cuarto**

menos veinte   **y** veinte

menos veinticinco   **y** veinticinco

y media

● ¿Qué hora es?
  ¿Tienes/Tiene hora?

● **(Es) la una y** diez. (13:10)
  (Son) las dos **(en punto)**. (14:00)
  (Son) las dos **y** cuarto. (14:15)
  (Son) las dos **y** veinticinco. (14:25)
  (Son) las tres **y media**. (15:30)
  (Son) las cuatro **menos** veinte. (15:40)
  (Son) las cuatro **menos cuarto**. (15:45)
  (Son) las cuatro **menos** cinco. (15:55)

Preguntar cuándo acontece algo
● ¿**A qué hora** viene el señor Torrado?
● **A la una y** diez. (13:10)
  A las dos **(en punto)**. (14:00)
  A las dos **y media**. (14:30)
  A las seis **menos cuarto**. (17:45)

Hablar del horario de un establecimiento
● Los bancos **abren a las** ocho y **cierran a las** dos.
● En mi país los bancos **abren de** ocho **a** dos.

Normalmente no diferenciamos entre las ocho de la mañana (8:00) y las ocho de la tarde (20:00) si el contexto es suficientemente claro. Si el contexto no es claro, añadimos **de la mañana**, **de la tarde** o **de la noche**.

las seis **de la mañana** (6:00)
las seis **de la tarde** (18:00)
las diez **de la mañana** (10:00)
las diez **de la noche** (22:00)

Pedir algo
● ¿**Tienes** un bolígrafo?
● Pues no, no tengo.
● Yo sí. Aquí tienes.

● Hola, buenos días. ¿**Tienen** sobres?
● Buenos días. Sí, mire. Están en la estantería, al lado de los bolígrafos.

Preguntar por el precio
● ¿**Cuánto cuesta** un café en la máquina?
● ¿**Cuánto cuestan** estos bolígrafos?
● ¿**Cuánto cuesta** alquilar un BMW un fin de semana?

Pedir información sobre cómo y dónde se puede obtener un servicio
● ¿**Para abrir** una cuenta, por favor?
● Sí, al final del pasillo, a la derecha.

● ¿**Para cambiar** dinero?
● Sí, aquí mismo.

Solicitar un servicio
La construcción **quería** + Infinitivo sirve para solicitar cortésmente un servicio.

● **Quería cambiar** 300 $.
● **Quería enviar** esta carta certificada.

NÚMEROS A PARTIR DE 1000

1000	mil
1200	mil doscientos
2000	dos mil
2222	dos mil doscientos veintidós
30 000	treinta mil
30 003	treinta mil tres
900 000	novecientos mil
921 502	novecientos veintiún mil quinientos dos
1 000 000	**un** millón
2 000 000	dos millones
3 000 000	tres millones

Cuando **millón/millones** van seguidas de un sustantivo, usamos la preposición **de**.

- Hay un millón **de** personas.
- Cuesta tres millones **de** dólares.
- Cuesta cuatro millones y medio **de** euros.

No se usa la preposición **de** cuando a **millón/millones** le sigue otro número.

- Hay un millón trescientas personas.
- Cuesta tres millones quinientos dólares.

PORCENTAJES

quince **por ciento**	(15%)
sesenta y uno **por ciento**	(61%)
tres **coma** siete **por ciento**	(3,7%)

PRESENTE DE LOS VERBOS PREFERIR Y QUERER

En Presente, los verbos **preferir** y **querer** cambian la segunda **e** de su raíz por **ie** cuando esta es tónica.

(yo)	pref**ie**ro	qu**ie**ro
(tú)	pref**ie**res	qu**ie**res
(él, ella, usted)	pref**ie**re	qu**ie**re
(nosotros/as)	preferimos	queremos
(vosotros/as)	preferís	queréis
(ellos/as, ustedes)	pref**ie**ren	qu**ie**ren

- ¿Qué ordenador **prefieres**?
- Yo **prefiero** este.
- Pues yo **prefiero** este porque es más pequeño.

SER/ESTAR

Usos de SER

Usamos **ser** para hablar, entre otras cosas, de:

La nacionalidad

- ¿De dónde **eres**?
- **Soy** española.

La profesión o el cargo de una persona

- **Soy** ingeniero.
- **Soy** el director de Producción.
- Luisa Guillén **es** la nueva directora.

El carácter de una persona

- Mi jefe **es** muy amable.

El tipo de empresa

- **Es** un banco alemán.

Las características de algo

- El Hotel Rabada **es** un poco caro.

Usos de ESTAR

Usamos **estar** para hablar de:

La ubicación

- El hotel **está** en el centro de la ciudad.
- El gimnasio y la piscina **están** en la tercera planta.

CONCORDANCIA DEL ADJETIVO

Al igual que el artículo, el adjetivo concuerda con el sustantivo en género y número. Como vimos en la unidad 4, existen adjetivos invariables y otros con dos formas: una masculina y otra femenina. La formación del plural de los adjetivos sigue las reglas del sustantivo (unidad 3).

un pis**o** barat**o**
una lámpar**a** clásic**a**
unos teléfon**os** modern**os**
unas cortin**as** fe**as**

Recuerda que el adjetivo va generalmente detrás del sustantivo.

CUANTIFICADORES DEL ADJETIVO

demasiado
muy
bastante
un poco*

- Este negocio es **demasiado** arriesgado.
- Estas sillas son **muy** cómodas.
- Mi conexión a Internet es **bastante** rápida.
- Estos ordenadores son **un poco** caros.

* Recuerda que **un poco** se usa con adjetivos con un significado negativo.

LA COMPARACIÓN

MÁS/MENOS + adjetivo + QUE

- La casa es **más** cara **que** el piso.
- Este sillón es **menos** elegante **que** el otro.

Para ser más precisos en la comparación, podemos usar cuantificadores (**mucho**, **bastante**, **un poco**) antes de **más/menos**.

- Este negocio es **mucho más** rentable.
- Esta lámpara es **bastante más** bonita.
- Este sillón es **un poco más** moderno.

¡Atención! Los adjetivos **bueno** y **malo** forman el comparativo con **mejor/mejores** y **peor/peores**.

- El Hotel Rabada es **mejor que** el Hotel AHH.
- El Hotel AHH es **peor que** el Hotel Rabada.

MÁS/MENOS + sustantivo + QUE

- Esta oficina tiene **más** luz **que** la otra.
- El piso tiene **menos** metros cuadrados **que** la casa.

Para ser más precisos en la comparación, podemos usar cuantificadores (**mucho/mucha/muchos/muchas**, **bastante/bastantes**) antes de **más/menos**.

- La casa tiene **muchas más** habitaciones que el piso.
- El piso tiene **bastantes menos** metros que la casa.

EL SUPERLATIVO

EL/LA/LOS/LAS MÁS/MENOS + adjetivo

- Este sillón es **el más** caro.
- Esta casa es **la más** grande.
- Este problema es **el menos** importante.

Los adjetivos **bueno** y **malo** forman el superlativo con **mejor/mejores** y **peor/peores**.

- El portal inmobiliario es **el mejor** negocio.
- El cibercafé y el campo de golf son **los peores** negocios.

RECURSOS PARA LA COMUNICACIÓN

Expresar agrado
- **Me gusta** la casa de las afueras.
- **Me gusta** vivir en las afueras.
- **Me gustan** los pueblos.

Expresar desagrado
- **No me gusta** el piso.
- **No me gusta** vivir en la ciudad.
- **No me gustan** las ciudades.

Si **gustar** va con un sustantivo, este siempre lleva un determinante (artículo, demostrativo...).

Opinar y argumentar
En español normalmente no nos oponemos a un argumento de forma absoluta. Para rebatir un argumento, es muy habitual empezar de forma positiva: **sí (claro), pero...**/**es verdad, pero...** La forma **(y) además** sirve para añadir un argumento nuevo que refuerza el anterior.

- **Yo creo que** el portal inmobiliario es muy rentable.
- **Sí, porque** solo necesitas 10 000 euros y lo amortizas en un año.
- **Es verdad, pero** hay otros que también son muy interesantes. El restaurante vegetariano y la heladería, por ejemplo.

- **Yo prefiero** la casa **porque** es más grande que el piso y, **además**, el piso tiene menos habitaciones.
- **Sí, pero** el piso está mucho más cerca del centro.
- **Sí, claro, pero** la casa tiene jardín.

LOS DÍAS DE LA SEMANA

lunes
martes
miércoles
jueves
viernes
sábado
domingo

Los días de la semana son masculinos. Se usan generalmente con artículo si indican cuándo se realiza algo.

● La cita con el señor Domínguez es **el** lunes a las 7.
● **El** martes me voy de viaje.

Cuando una acción se repite cada semana, usamos el plural. Los días de la semana que acaban en **-s** son invariables; los que acaban en **-o** añaden una **-s** para formar el plural.

● **Los** lunes voy normalmente a la sauna.
● **Los** domingo**s** me quedo en casa y descanso.

VERBOS REFLEXIVOS

Los verbos reflexivos llevan el pronombre **se** después del Infinitivo: **levantarse, acostarse, reunirse, quedarse, organizarse**, etc. Pero cuando se conjugan llevan el pronombre justo antes del verbo.

LEVANTAR**SE**

(yo)	**me**	levanto
(tú)	**te**	levantas
(él, ella, usted)	**se**	levanta
(nosotros/as)	**nos**	levantamos
(vosotros/as)	**os**	levantáis
(ellos/as, ustedes)	**se**	levantan

● Mañana **me** reúno con unos clientes.
● La Srta. Romero no **se** organiza bien el trabajo.
● ¿A qué hora **os** levantáis los domingos?

Con perífrasis y con estructuras como **poder/querer** + Infinitivo, los pronombres pueden ir antes del verbo conjugado o después del Infinitivo, pero no entre los dos.

Me tengo que reunir con los clientes. = **Tengo que reunirme** con los clientes.
Nos queremos ver mañana. = **Queremos vernos** mañana.

PRESENTES IRREGULARES (E>IE, O>UE, U>UE)

E>IE

EMPEZAR	QUERER	PREFERIR
empiezo	quiero	prefiero
empiezas	quieres	prefieres
empieza	quiere	prefiere
empezamos	queremos	preferimos
empezáis	queréis	preferís
empiezan	quieren	prefieren

O>UE / U>UE

PODER	DORMIR	JUGAR
puedo	duermo	juego
puedes	duermes	juegas
puede	duerme	juega
podemos	dormimos	jugamos
podéis	dormís	jugáis
pueden	duermen	juegan

PRESENTES IRREGULARES (E>I)

E>I

PEDIR	REPETIR	VESTIRSE
pido	repito	me visto
pides	repites	te vistes
pide	repite	se viste
pedimos	repetimos	nos vestimos
pedís	repetís	os vestís
piden	repiten	se visten

PRESENTES IRREGULARES (1ª PERSONA DEL SINGULAR)

HACER	SABER	CONOCER
hago	**sé**	**conozco**
haces	sabes	conoces
hace	sabe	conoce
hacemos	sabemos	conocemos
hacéis	sabéis	conocéis
hacen	saben	conocen

PONER	SALIR
pongo	**salgo**
pones	sales
pone	sale
ponemos	salimos
ponéis	salís
ponen	salen

CON + PRONOMBRES PERSONALES

conmigo	**con** nosotros/nosotras
contigo	**con** vosotros/vosotras
con él/ella/usted	**con** ellos/ellas/ustedes

LA HORA Y LAS PARTES DEL DÍA

Para decir la hora y ubicarla en una de las partes del día, utilizamos la preposición **de**.

A las diez **de** la mañana. (10:00)
A las doce **del** mediodía. (12:00)
A las cuatro **de** la tarde. (16:00)
A las diez **de** la noche. (22:00)

Pero cuando solo nos referimos a la parte del día, utilizamos las preposiciones **por** (con **mañana**, **tarde** y **noche**) y **a** (con **mediodía** y **medianoche**).

- El banco abre solo **por la mañana**.
- La reunión puede ser el lunes **por la tarde**.
- Los grandes almacenes no cierran **a/al mediodía**.

RECURSOS PARA LA COMUNICACIÓN

Expresar frecuencia
siempre
casi siempre
normalmente
a veces
casi nunca
nunca

- Los fines de semana **casi siempre** salgo con amigos, pero **nunca** me levanto tarde.

Secuenciar acciones
primero
después
luego
más tarde

- ¿Qué tienes que hacer mañana?
- Pues... **primero** tengo que ir a la oficina a recoger un paquete y **después** tengo que ir a ver un cliente. **Luego**, como con un distribuidor y **más tarde**, después de comer, tengo que revisar unos contratos.

Hablar de acciones previstas
- ¿Qué **haces** este sábado?
- Por la mañana **trabajo** y por la noche **voy** al cine.

Proponer una cita
- ¿**Quieres** ir conmigo al Bar 13 mañana?

Justificarse
- Lo siento, pero no puedo. **Es que** tengo mucho trabajo.

Proponer
- ¿Y **qué tal** el martes?
- El martes, perfecto. ¿**Qué tal** delante del Bar 13 a las diez?

Plantear una alternativa
- No sé... **mejor** a las diez y media.

Concertar una cita
- Vale. Entonces **quedamos** el domingo a las diez y media delante del Bar 13.
- Pues hasta el domingo.
- Adiós.

Hablar por teléfono
Informal
- ¿Diga? / ¿Sí?
- ¿Está Agustín?
- Sí, soy yo.
- Hola, soy Félix.
- Hola Félix, ¿qué tal?

Formal
- ¿Dígame?
- Buenos días. Por favor, ¿la Srta. Sánchez?
- ¿De parte de quién, por favor?
- De Antonio López, de Provesa.
- Un momento, por favor.
- Sí, ¿dígame?

Expresar obligación y consejo
La construcción **tener que** + Infinitivo puede expresar necesidad u obligación y también consejo.

- ¿Cuándo podemos reunirnos con Emilio Arcos?
- ¿Qué tal el jueves por la mañana?
- Yo el jueves no puedo; **tengo que hablar** con el abogado.

- Estoy muy estresado... ¿Qué puedo hacer?
- **Tienes que organizar** mejor tu tiempo y descansar los fines de semana.

EL VERBO GUSTAR

(A mí)	**me**		
(A ti)	**te**		
(A él, ella, usted)	**le**	**gusta** +	nombre en singular Infinitivo
(A nosotros/as)	**nos**		
(A vosotros/as)	**os**	**gustan** +	nombre en plural
(A ellos/as, ustedes)	**les**		

- **Me gusta** el horario.
- **Me gusta** trabajar en equipo.
- **Me gustan** mis compañeros de trabajo.

PRONOMBRES DE OBJETO INDIRECTO

Formas átonas
me
te
le
nos
os
les

- **Me** encantan las comidas de trabajo.
- ¿**Te** apetece ir a tomar un café?
- A Annette **le** podemos comprar un libro.
- **Nos** encanta trabajar en equipo.
- ¿**Os** parece interesante este libro?
- ¿Qué **les** compramos a Mónica y a Joaquín?

Cuando queremos enfatizar o evitar confusiones, utilizamos, en combinación con el verbo, además de estos pronombres átonos, las formas tónicas o el sustantivo con la preposición **a**.

Formas tónicas
a **mí**
a **ti**
a **él**, **ella**, **usted**
a **nosotros**, **nosotras**
a **vosotros**, **vosotras**
a **ellos**, **ellas**, **ustedes**

- **A mí** me gusta mucho la música clásica.
- ¿**A ti** te gusta trabajar con gente?
- **A ella** le compramos un libro y **a él** una corbata.
- **A nosotros** nos encanta trabajar en grupo.
- ¿**A vosotras** os apetece ir a tomar algo?
- ¿**A ustedes** les apetece un café?

¡Atención! En frases que no tienen verbo, usamos solo **a** + la forma tónica o **a** + el sustantivo:

- Me gusta mucho la nueva sala de reuniones. ¿Y **a ti**?
- **A mí** también.

- ¿Les compramos un libro?
- **A María**, sí; pero **a él** no. Mejor una corbata.

¿Os gusta la cocina exótica?

A mí me gusta mucho, pero a Luis no le gusta nada.

FECHAS

El	1	de	**enero**	de	1965
	2		**febrero**		2007
	5		**marzo**		2010
			abril		
			mayo		
			junio		
			julio		
			agosto		
			septiembre		
			octubre		
			noviembre		
			diciembre		

El	lunes
	martes
	miércoles
	jueves
	viernes
	sábado
	domingo

El fin de semana

- ¿Cuándo es tu cumpleaños?
- **El** 29 **de** septiembre.

- ¿Cuándo tienes el examen?
- **El** viernes.

RECURSOS PARA LA COMUNICACIÓN

Expresar una opinión
- **Creo que** el restaurante Mamma Mia es italiano.
- **Me parece que** las croquetas llevan huevo.

Hablar de gustos
- Me **encanta** mi apartamento.
- Me **gusta muchísimo** mi trabajo.
- Me **gusta mucho** este tema.
- Me **gusta** trabajar individualmente.
- Me **gusta bastante** la oficina.
- **No** me **gustan mucho** mis compañeros de trabajo.
- **No** me **gustan nada** las reuniones.

~~no me encanta~~
~~me encanta mucho~~

Expresar coincidencia y no coincidencia
- **Me gusta** trabajar con gente. ☺
- **A mí, también.** ☺
- **A mí, no.** ☹

- **No me gustan** las reuniones. ☹
- **A mí, tampoco.** ☹
- **A mí, sí.** ☺

Expresar preferencias
- **¿Qué os gusta más**: la cocina tradicional o la cocina moderna?
- **A mí me gusta más** la cocina moderna.
- Pues **yo prefiero** la tradicional.

- **¿Qué os parece mejor**: vivir cerca o lejos del trabajo?
- **A mí me parece que es mejor** vivir lejos del trabajo.
- Pues **yo creo que es mejor** vivir cerca.

Invitar y proponer algo
- **¿Tomamos** un café?
- **¿Desayunamos** juntos y hablamos?
- **¿Comemos** juntos?

- **¿Te/Os apetece** tomar algo?
- **¿Le/Les apetece** ir a cenar?

- **¿Por qué no** comemos juntos?
  le compramos unos bombones?

- **¿Y si** comemos juntos para celebrarlo?

Aceptar una propuesta
- **Perfecto.**
  Muy bien.
  De acuerdo.
  Vale.
  Bueno.

Rechazar una propuesta
- **Lo siento, es que** tengo mucho trabajo.
  esta noche voy a una fiesta.
  ahora no puedo.

Pedir en un restaurante
De primero...
De segundo...
De postre...
Para beber...

Preguntar por los ingredientes
- ¿Las croquetas **llevan** huevo?
- Sí, me parece que sí.

¿Qué lleva la tortilla española?

Pues, huevos, patatas y cebolla.

Hablar sobre hábitos alimentarios
- **Soy vegetariano/a**.
- **Tengo alergia a** los lácteos.
- **Soy alérgico/a a** los lácteos.

Aceptar una invitación por escrito
Les/Os agradezco mucho su/vuestra invitación...
Me alegra poder confirmar mi asistencia a...

Rechazar una invitación por escrito
Siento comunicarles/comunicaros que...

ESTAR + GERUNDIO

Para expresar una acción que ocurre en el momento preciso en el que estamos hablando, usamos el Presente del verbo **estar** + Gerundio.

(yo)	**estoy**	
(tú)	**estás**	trabaj**ando**/diseñ**ando**... (-AR)
(él, ella, usted)	**está**	hac**iendo**/v**iendo**... (-ER)
(nosotros/as)	**estamos**	produc**iendo**/viv**iendo**... (-IR)
(vosotros/as)	**estáis**	
(ellos/as, ustedes)	**están**	

- **Estamos trabajando** en un producto que se va a llamar "Mex-3".
- **Están haciendo** entrevistas para el Departamento de Publicidad.
- La empresa **está produciendo** una media de 180 000 teléfonos móviles al año.

El Gerundio se forma con la terminación **-ando**, para los verbos en **-ar**, y con la terminación **-iendo** para los verbos en **-er** y en **-ir**.

Gerundios irregulares

leer	>	**leyendo**
oír	>	**oyendo**
decir	>	**diciendo**
dormir	>	**durmiendo**

IR A + INFINITIVO

Usamos la perífrasis **ir a** + Infinitivo para expresar propósitos, planes o para hablar de lo que va a ocurrir en un futuro no muy lejano.

(yo)	**voy**	
(tú)	**vas**	
(él, ella, usted)	**va**	
(nosotros/as)	**vamos**	**a** + Infinitivo
(vosotros/as)	**vais**	
(ellos/as, ustedes)	**van**	

- Yo puedo estar el jueves por la mañana, pero por la tarde no, porque **voy a visitar** a un cliente.

- ¿**Vas a hacer** el curso de formación?

- En mayo **van a ir** a México a una feria de electrónica.

PRONOMBRES DE OBJETO DIRECTO

Para sustituir el Objeto Directo, utilizamos los siguientes pronombres.

	MASCULINO	FEMENINO
SINGULAR	**lo**	**la**
PLURAL	**los**	**las**

- Van a lanzar **un refresco** con gas.
- Y van a distribuir**lo** en toda Europa.

- Almatel está produciendo 180 000 **teléfonos móviles** al año.
- ¿Sabes dónde **los** fabrican?

- ¿Cuándo va a salir **la bebida**? ¿Dónde **la** van a promocionar?

- Van a comprar nuevas **oficinas** en Tenerife.
- ¿Y cuándo **las** van a abrir?

POSICIÓN DE LOS PRONOMBRES DE OBJETO DIRECTO

Los pronombres de Objeto Directo se colocan inmediatamente delante del verbo conjugado.

- ¿Escribes los informes en inglés o en español?
- Generalmente **los** escribo en español.

Con perífrasis como **ir a** + Infinitivo, **estar** + Gerundio o **tener que** + Infinitivo y con estructuras como **poder/querer** + Infinitivo, los pronombres pueden ir antes del verbo conjugado o después del Infinitivo/Gerundio, pero no entre los dos.

tengo que vender**lo** = **lo** tengo que vender
voy a escribir**la** = **la** voy a escribir
~~tengo que lo vender~~
~~voy a la escribir~~

¡Atención! Cuando el pronombre va detrás del Infinitivo o del Gerundio, forma una sola palabra con ellos.

- Están trabajando en este producto para promocionar**lo** en toda Europa.

- Me gustan mucho las exposiciones de pintura, pero nunca tengo tiempo de ver**las**.

MARCADOS TEMPORALES DE FUTURO

mañana
pasado mañana
el próximo mes/año... = **el** mes/año... **que viene**
la próxima semana = **la** semana **que viene**
dentro de unos días/una semana/un mes...

- **Mañana** tengo una reunión muy importante.
- **El mes que viene** voy a ir a Ecuador.
- **La próxima semana** voy a tener que trabajar más.
- **Dentro de unos días** nos van a enviar los detalles.

LA PREPOSICIÓN EN COMO MARCADOR TEMPORAL

La preposición **en** sirve para situar una acción o un acontecimiento dentro un periodo determinado de tiempo.

En primavera/verano/otoño/invierno
En enero/febrero/marzo...
En Navidad/Semana Santa...
En el 2008...

- Van a lanzar el nuevo producto **en verano**.

LA COMPARACIÓN

Adjetivos

- Este coche es

más	grande	**que**	el otro.
menos	rápido	**que**	
tan	elegante	**como**	
igual de	caro	**que**	

Comparativos irregulares

más bueno	>	**mejor**
más malo	>	**peor**

- Este coche es **mejor** / **peor** **que** el otro.

Verbos

- Este coche consume

más	**que**	el otro.
menos		
igual		
lo mismo		
tanto como	el otro.	

Sustantivos

- Este coche tiene **más** / **menos** caballos **que** el otro.

- Este coche tiene

tanto	motor	**como** el otro.
tanta	potencia	
tantos	caballos	
tantas	prestaciones	

- Este coche tiene

el mismo	motor	**que** el otro.
la misma	potencia	
los mismos	caballos	
las mismas	prestaciones	

RECURSOS PARA LA COMUNICACIÓN

Describir un objeto
Material
- **Es de** cristal y metal.

Color
- **Es** blanc**o/a**, negr**o/a**, roj**o/a**, amarill**o/a**...
- **Son** blanc**os/as**, negr**os/as**, roj**os/as**, amarill**os/as**...
- **Es** gris/azul.
- **Son** gris**es**/azul**es**.
- **Es** naranja/rosa.
- **Son** naranja**s**/rosa**s**.

Función
- **Sirve para** dar luz.

Características
- **Es** (un objeto) pequeño y muy frágil.
- **Tiene** una parte de metal.
- **Se vende** en tiendas de muebles.

Precio
- **Cuesta** poco, unos dos euros.

Expresar una hipótesis
Más probable
- **Seguro que** este producto se va a vender muy bien.
- **Me imagino que** ahora mi hermano está comiendo y hablando de negocios.

Menos probable
- **A lo mejor** quieren trasladar la empresa a Santa Cruz de Tenerife.
- Sí, o **quizá** simplemente quieren abrir una sucursal en las Islas Canarias

PRETÉRITO PERFECTO: FORMA

El Pretérito Perfecto se forma con el Presente de **haber** seguido del Participio del verbo.

(yo)	**he**	
(tú)	**has**	trabaj**ado**
(él, ella, usted)	**ha**	ten**ido**
(nosotros/as)	**hemos**	produc**ido**
(vosotros/as)	**habéis**	
(ellos/as, ustedes)	**han**	

Participios regulares

El Participio se forma con la terminación **-ado** para los verbos en **-ar** y con la terminación **-ido** para los verbos en **-er** y en **-ir**.

pasar	>	pas**ado**
adaptar	>	adapt**ado**

tener	>	ten**ido**
crecer	>	crec**ido**

disminuir	>	disminu**ido**
reducir	>	reduc**ido**

Participios irregulares

hacer	>	**hecho**
ver	>	**visto**
poner	>	**puesto**
romper	>	**roto**
volver	>	**vuelto**
abrir	>	**abierto**
morir	>	**muerto**
decir	>	**dicho**
escribir	>	**escrito**

PRETÉRITO PERFECTO: USO

Usamos el Pretérito Perfecto para referirnos a acciones realizadas en un pasado que aún no ha terminado o a acciones muy recientes o muy vinculadas al momento actual. En estos casos, solemos usar el Pretérito Perfecto junto a expresiones como: **hoy**, **este mes/año/verano**..., **esta mañana/tarde**..., **estos días/meses**..., **estas semanas/vacaciones**...

- Hoy **he trabajado** demasiado.
- Este año **hemos aumentado** la facturación en un 8%.

También usamos el Pretérito Perfecto para referirnos a acciones ocurridas en un momento pasado no definido. En estos casos, solemos usar el Pretérito Perfecto con marcadores como: **ya**, **todavía no**; **siempre**, **nunca**, **alguna vez**, **una vez**, **dos veces**, **muchas veces**...

- ¿**Ya has hablado** con tu jefe sobre el aumento de sueldo?
- No, todavía no.

- **Todavía no** ha terminado el informe sobre Líber.

- ¿**Has cambiado** de trabajo **alguna vez**?
- Sí, muchas veces.

El Participio es invariable. El verbo **haber** y el Participio son una unidad; no se puede colocar nada entre ellos. Los pronombres van siempre delante del verbo **haber**.

- **Le he regalado** una agenda electrónica.
- **Se ha levantado** muy tarde.
- Todavía no **la he visto**.

¿Ya has hablado con Fernando?

No, todavía no. Le he llamado varias veces, pero no está en su oficina.

RECURSOS PARA LA COMUNICACIÓN

Expresar obligación

Usamos **tener que** + Infinitivo y **hay que** + Infinitivo para expresar necesidad u obligación. La diferencia es que con **tener que** + Infinitivo indicamos quién tiene la necesidad o la obligación.

- Para ser más competitivos, **tenemos que** invertir más en investigación.
- Sí, pero, primero, **hay que** conocer bien el mercado.

Valorar hechos pasados

- **¿Qué tal** el día?
  la reunión?

- **Muy bien.**
  Bastante bien.
  Regular.
  Normal.
  No muy bien.
  Bastante mal.
  Muy mal.
  Fatal.

- **Ha sido**   un día   (muy) agradable.
             una reunión   (muy) interesante.
                            (muy) aburrido/a.
                            fantástico/a.
                            horroroso/a.
                            horrible.

Expresar acuerdo o desacuerdo

- Nosotros pensamos que hay que invertir más en publicidad.
- Sí, **estamos de acuerdo con** vosotros.
- Pues nosotros **no estamos de acuerdo** porque…

Establecer prioridades

- Para mí, **primero** hay que conocer bien a los consumidores, **luego/después** saber dónde y cuándo invertir y, **por último**, contar con buenos profesionales.

- Para mí, **lo más/menos importante** en un trabajo es tener posibilidades de promoción.

Conectores

Debido a, porque

Sirven para expresar la razón o la causa de algo. **Debido a** va seguido de un nombre; **porque** va seguido de una frase completa (con verbo).

- Crack está en crisis **porque** no ofrece precios competitivos.

- La producción de juguetes ha aumentado **debido a** la creciente demanda del mercado asiático.

Por eso, en consecuencia

Sirven para expresar la consecuencia de una acción.

- Este año Aceites Oil ha tenido nuevos competidores en el extranjero y **por eso** ha disminuido la exportación.

- Este año en Caserasa la inversión en segundas marcas ha afectado al producto principal, Micasera que, **en consecuencia**, ha contado con un porcentaje inferior de la inversión.

Pero, en cambio, sin embargo

Se usan para unir ideas que son opuestas o que contrastan en parte con lo enunciado anteriormente.

- El artículo dice que este año la inversión en segundas marcas ha afectado al producto principal, **pero** en el gráfico vemos que las inversiones este año han sido superiores.

- La empresa ha aumentado sus beneficios en un 24%. Las ventas anuales, **en cambio**, han aumentado solo un 10%.

- Este año la producción de productos electrónicos ha disminuido. **Sin embargo**, la producción de juguetes ha aumentado considerablemente.

Señores, hemos tenido un año horrible. Los gastos han aumentado y, sin embargo, los ingresos han descendido. Estamos en crisis y tenemos que encontrar soluciones rápidamente.

IMPERATIVO: TÚ Y USTED

Formas regulares

La forma regular del Imperativo de **tú** es igual que la tercera persona del singular del Presente de Indicativo, en todas las conjugaciones.

	-AR	**-ER**	**-IR**
TÚ	cre**a**	aprend**e**	abr**e**
	ahorr**a**	le**e**	escrib**e**
	llam**a**	beb**e**	asist**e**
USTED	cre**e**	aprend**a**	abr**a**
	ahorr**e**	le**a**	escrib**a**
	llam**e**	beb**a**	asist**a**

Formas irregulares

	TÚ	USTED
ser	**sé**	**sea**
tener	**ten**	**tenga**
poner	**pon**	**ponga**
salir	**sal**	**salga**
decir	**di**	**diga**
hacer	**haz**	**haga**
venir	**ven**	**venga**
ir	**ve**	**vaya**

¡Atención! Los pronombres se colocan siempre después del Imperativo formando una sola palabra: **cómpralo**, **atrévete**, **envíelas**...

FUTURO

Verbos regulares

El Futuro de los verbos regulares se forma añadiendo al Infinitivo las siguientes terminaciones: **-é**, **-ás**, **-á**, **-emos**, **-éis** y **-án**.

	HABLAR	BEBER	VIVIR
(yo)	hablar**é**	beber**é**	vivir**é**
(tú)	hablar**ás**	beber**ás**	vivir**ás**
(él, ella, usted)	hablar**á**	beber**á**	vivir**á**
(nosotros/as)	hablar**emos**	beber**emos**	vivir**emos**
(vosotros/as)	hablar**éis**	beber**éis**	vivir**éis**
(ellos/as, ustedes)	hablar**án**	beber**án**	vivir**án**

Verbos irregulares

Los verbos irregulares cambian la raíz, pero mantienen las mismas terminaciones que los regulares.

decir	>	**dir-**	
haber	>	**habr-**	
hacer	>	**har-**	**-é**
poder	>	**podr-**	**-ás**
poner	>	**pondr-**	**-á**
querer	>	**querr-**	**-emos**
saber	>	**sabr-**	**-éis**
salir	>	**saldr-**	**-án**
tener	>	**tendr-**	
venir	>	**vendr-**	

SE + LO/LA/LOS/LAS

Los pronombres de Objeto Indirecto **le** y **les** se transforman en **se** cuando van acompañados de un pronombre de Objeto Directo (**lo**, **la**, **los**, **las**).

- **Le** doy el presupuesto al jefe.
  > Le lo doy.
  > **Se lo** doy.

- **Le** doy la carta al jefe.
  > Le la doy.
  > **Se la** doy.

- **Le** doy los recibos al jefe.
  > Le los doy.
  > **Se los** doy.

- **Le** doy las facturas al jefe.
  > Le las doy.
  > **Se las** doy.

- ¿Le has dado el presupuesto al jefe?
- No, todavía no, pero **se lo** daré esta tarde.
- ¿Puedes dár**selo** antes, por favor?
- Sí, vale. Ahora mismo **se lo** doy.

- ¿Les entrego las cartas a los mensajeros?
- No, ya **se las** he entregado yo.

ESTILO INDIRECTO

El discurso referido, también llamado estilo indirecto, es la transmisión, por lo general en un nuevo contexto espacial y/o temporal, de las palabras dichas por otros o por nosotros mismos.

Estilo directo:
- He tenido mucho trabajo esta semana.

Estilo indirecto:
- **Dice/Me ha dicho que** ha tenido mucho trabajo esta semana.

Si lo que se refiere es una pregunta con un pronombre interrogativo, usamos este pronombre para introducir la frase que se cita.

Estilo directo:
- **¿Dónde** estudias español?
- **¿Cuándo** empieza la campaña?

Estilo indirecto:
- **Me ha preguntado dónde** estudio español.
- **Me ha preguntado cuándo** empieza la campaña.

Cuando la pregunta es de respuesta cerrada (sí/no), usamos la conjunción **si**.

Estilo directo:
- ¿Necesitáis los programas de todos los cursos?

Estilo indirecto:
- **Pregunta/Me ha preguntado si** necesitamos los programas de todos los cursos.

RECURSOS PARA LA COMUNICACIÓN

Expresar una condición

Usamos la conjunción **si** para introducir una condición. En la frase introducida por **si**, el verbo va en Presente. En la segunda parte de la oración, el verbo va o en Presente o en Futuro.

- **Si** su grupo **supera** las cien personas, le **ofrecemos** un 15% de descuento.

- **Si** el avión no **llega**, **llamaremos** a la compañía para saber si ha habido algún problema.

Pedir o solicitar algo a alguien

Para pedir o solicitar algo a alguien, podemos usar la construcción **poder** + Infinitivo o el verbo en Imperativo.

- **¿Puede** mirar qué precio tiene el billete a Manila en primera?

- Por favor, **habla** el lunes con Pedro, el jefe de Personal, para saber cuándo empiezan los nuevos comerciales.

- **Envíe** un catálogo por correo electrónico a todos estos clientes.

Oye, Miguel, ¿le puedes decir al jefe que mañana no voy a venir? Es que no me encuentro muy bien.

Sí, sí, claro. Si lo veo, se lo voy a decir.

Expresar urgencia
- Necesitamos el presupuesto **lo antes posible**.
- Por favor, Emilio, ¡ven **lo antes posible**!
- Volveré **lo antes posible**.

Hacer una reserva
- Quería hacer una reserva.
- ¿Para qué días?
- La ida para el lunes día 1 y la vuelta para el 7.
- Lo siento, para el día 1 está todo completo.

Expresar causa
Cuando la causa aparece antes de la consecuencia, utilizamos **como**.

- **Como** voy a estar fuera hasta el próximo jueves y la semana que viene vamos a tener mucho trabajo, te envío este mail con las cosas más urgentes.

PRETÉRITO INDEFINIDO: FORMA

Verbos regulares

-AR	-ER	-IR
trabaj**é**	nac**í**	abr**í**
trabaj**aste**	nac**iste**	abr**iste**
trabaj**ó**	nac**ió**	abr**ió**
trabaj**amos**	nac**imos**	abr**imos**
trabaj**asteis**	nac**isteis**	abr**isteis**
trabaj**aron**	nac**ieron**	abr**ieron**

Verbos irregulares

E>I	O>U
P**E**DIR	D**O**RMIR
pedí	dormí
pediste	dormiste
p**i**dió	d**u**rmió
pedimos	dormimos
pedisteis	dormisteis
p**i**dieron	d**u**rmieron

Las formas del Indefinido de los verbos **ir** y **ser** son idénticas. El verbo **dar** se conjuga como los regulares en **-er** o **-ir**.

IR/SER	DAR
fui	d**i**
fuiste	d**iste**
fue	d**io**
fuimos	d**imos**
fuisteis	d**isteis**
fueron	d**ieron**

Muchos verbos irregulares cambian su raíz y añaden un único tipo de terminación.

decir	>	**dij-***	
producir	>	**produj-***	
traer	>	**traj-***	-e
estar	>	**estuv-**	-iste
poder	>	**pud-**	-o
poner	>	**pus-**	-imos
saber	>	**sup-**	-isteis
tener	>	**tuv-**	-ieron /-eron*
venir	>	**vin-**	
hacer	>	**hic-/hiz-**	

*Los verbos que forman el Indefinido con una **j** en la raíz (**decir**, **producir**, **traer**, etc.) pierden la **i** en la terminación de la tercera persona del plural.

PRETÉRITO INDEFINIDO: USO

Usamos el Indefinido para relatar acciones terminadas en un pasado concreto, no relacionado con el presente.

- En el 2003 **me trasladé** a Australia con la empresa.
- Ayer **llamó** la jefa de Contabilidad para pedir las nuevas referencias de compra.

El Pretérito Indefinido suele ir acompañado de los siguientes marcadores temporales.

ayer/anteayer/anoche
hace dos días/una semana/un mes/un año...
el mes/trimestre/año **pasado**
la semana pasada
el lunes/martes...
el otro día
en Navidades/Semana Santa...
en 1990/**en el** 94/**en el** 2006/**en** julio **del** 2006
el 6 de julio de 1998
hace tres días/dos años/un mes/mucho tiempo...
del 96 **al** 99

- ¿Cuándo **tuviste** vacaciones por última vez?
- Pues **hace** bastante, creo que **hace** diez meses.

PRETÉRITO IMPERFECTO: FORMA

Verbos regulares

HABL**AR**	TEN**ER**	ESCRIB**IR**
habl**aba**	ten**ía**	escrib**ía**
habl**abas**	ten**ías**	escrib**ías**
habl**aba**	ten**ía**	escrib**ía**
habl**ábamos**	ten**íamos**	escrib**íamos**
habl**abais**	ten**íais**	escrib**íais**
habl**aban**	ten**ían**	escrib**ían**

Verbos irregulares

Solo existen tres verbos irregulares en sus formas de Imperfecto: **ser**, **ir** y **ver**.

SER	IR	VER
era	**iba**	v**e**ía
eras	**ibas**	v**e**ías
era	**iba**	v**e**ía
éramos	**íbamos**	v**e**íamos
erais	**ibais**	v**e**íais
eran	**iban**	v**e**ían

PRETÉRITO IMPERFECTO: USO

Usamos el Pretérito Imperfecto para describir en pasado, para describir hechos que presentamos como habituales en el pasado y para describir las circunstancias que rodean un hecho pasado.

- Antes **era** secretaria, ahora es directora general.
- Antes **vivía** en un piso muy pequeño, en cambio, ahora vive en una casa con jardín.
- Como **tenía** un sueldo bajo, cambió de trabajo.

RECURSOS PARA LA COMUNICACIÓN

Expresar el límite inicial
- Carmen trabaja en una cadena de librerías **desde** 1998.
- En el 2004 me incorporé a la empresa L'Areal, donde trabajo **desde** entonces.

Expresar el límite final
- Trabajé en una multinacional como secretaria bilingüe **hasta** el año pasado.
- Tengo tiempo para entregar el informe **hasta** mañana.

Expresar la duración
- **Desde** 1999 **hasta** el 2003 trabajé en Buenos Aires.
- Tenemos reunión **desde** las diez **hasta** las once.
- Trabajó como directora comercial **de** 1993 **a** 1998.
- Trabajó de actriz **del** 2001 **al** 2004.

¡Atención! Cuando usamos **de** ... **a** con las horas y con los días de la semana, no usamos artículo.

- Solo trabajo **de** lunes **a** miércoles.
- Tenemos reunión **de** diez **a** once.

Referirse a un lugar ya mencionado
- En el 2001 empecé a trabajar en el sector de la importación para la empresa Impor España, **donde** estuve tres años. Después volví a España para trabajar en Export Internacional, **donde** trabajo en la actualidad como secretaria de dirección.

Relacionar temporalmente hechos del pasado
- Empecé a hacer el informe por la mañana y lo entregué **el mismo** día.
- Hice la entrevista el miércoles y me contrataron **la misma** semana.

- **Después de** cuatro años, la empresa cerró.
- **Al cabo de** cuatro años, la empresa cerró.
- Cuatro años **después,** la empresa cerró.
- Cuatro años **más tarde,** la empresa cerró.

- Estudié en Salamanca y **al** año **siguiente** me fui a Barcelona a hacer un máster.
- Pusimos la reclamación el viernes y **a la** semana **siguiente** nos devolvieron el dinero.

Valorar experiencias
- **¿Qué tal** (**fue**) ayer la presentación del nuevo producto?

- (**Fue**) **muy bien.**
  bien.
  bastante bien.
  regular.
  no muy bien.
  bastante mal.
  mal.
  muy mal.
  fatal.

Identificar a personas o cosas
el/la/los/las + de + sustantivo
- Este es Bill Gates, ¿no?
- Sí, es **el de** Microsoft.

el/la/los/las + que + verbo
- Este es Bill Gates, ¿no?
- Sí, es **el que** tiene la empresa de *software* más grande del mundo.

Hablar sobre las cualidades de una persona
ser + adjetivo
- **Eres** muy comunicativo, muy abierto...
- Bueno, sí, yo creo que sí, **soy** bastante extrovertido, me gusta hablar con la gente.

tener + sustantivo
- **Tienes** buena presencia y creo que **tienes** facilidad para motivar y dirigir grupos.

T

Transcripciones

UNIDAD 1

1. Lugares > pista 1
1. *aeropuerto*
2. *discoteca*
3. *metro*
4. *bar restaurante*
5. *museo*
6. *oficina de cambio/cajero automático*
7. *hotel*
8. *farmacia*

2. Palabras en español > pista 2
Televisión Española
Universidad Complutense
Banco de Valencia
Iberia

Caja Rural de Cuenca
El Corte Inglés
BF Arquitectos
Peluquería Rosa

Cine Alcázar
Zoo de Barcelona
Azulejos Plaza
Hostal de la Luz

Chocolate Valor
Banco de Chile
Chupa Chups

Estrella Seguros
Gas Natural
Fagor
Galerías Guerrero
Editorial Aguilar

Aceites Giralda
Viajes Barceló
Argentaria
La Toja
La Jijonenca
Editorial Juventud

Hotel Alhambra
Hispavista

La Mallorquina
Industrias Revilla

Papelería Española
Paños Vicuña

4. Semifinales de vóley-playa > pista 3
Los resultados de las semifinales de vóley-playa han sido los siguientes:

En la primera semifinal, entre España y Cuba, el resultado ha sido:
Primer set: España 17, Cuba 21
Segundo set: España 21, Cuba 18
Tercer set: España 12, Cuba 15
En la segunda semifinal, entre China e Italia, el resultado ha sido:
Primer set: China 16, Italia 21
Segundo set: China 21, Italia 19
Tercer set: China 10, Italia 15

7. En un congreso > pista 4
1.
● Hola, buenos días.
● Buenos días. José María González.
● Ajá. ¿González, qué más?
● González Saldaña.
● Muy bien. Aquí está su tarjeta.
● Gracias.

2.
● Hola, buenos días. Soy Adela García Olmos.
● Sí, aquí está, tome.
● Hasta luego, gracias.

3.
● Buenos días, ¿cómo se llama?
● Gutiérrez Alonso.
● ¿Y de nombre?
● Fernando.
● A ver, aquí está. Tome, su tarjeta.
● Gracias.

4.
● Hola, buenos días. ¿Su nombre, por favor?
● Gómez, Olga Gómez.
● ¿Olga Gómez Torres?
● Sí.
● Muy bien, aquí tiene su tarjeta.
● Gracias.
● A usted.

5.
● Buenos días.
● Sí, soy el señor González, José María González. Vengo a por mi tarjeta.
● A ver, es González Salazar, ¿no?
● Sí, sí.
● Pues aquí la tiene.
● De acuerdo. Gracias.
● A usted.

UNIDAD 2

2. En la oficina de empleo > pista 5
● Bueno, pues mire, primero le tengo que hacer varias preguntas para completar su ficha de solicitud de empleo.
● Ah, muy bien.
● Bueno, a ver, ¿cómo se llama?
● Ramón.
● ¿Y de apellido?
● Peinado Martín.
● Ramón... Peinado... Martín... Muy bien. ¿Cuántos años tiene?
● Treinta y cuatro.
● Treinta y cuatro... Vamos a ver... ¿Dónde vive?
● En la Avenida Imperial.
● ¿En qué número?
● En el 12.
● ¿En Málaga ciudad?
● Sí.
● Bien. ¿Y cuál es su número de teléfono?
● El 952 247 204 (noventa y cinco, dos, veinticuatro, siete, dos, cero, cuatro).
● ¿Su profesión, por favor?
● Sociólogo, soy sociólogo.
● Muy bien, pues nada más. ¡Ah, sí! Perdone, ¿cuál es su estado civil?
● Soltero.
● Vale. Ahora sí que ya está. Muchas gracias, Sr. Peinado. Espere ahí un momentito y ahora le llamamos.

6. Direcciones > pista 6
1.
● ¿Diga?
● ¿Con el señor Bermúdez, por favor?
● Sí, soy yo.
● Buenos días, llamo de la Editorial Libroplus.
● Ajá.
● Estamos actualizando nuestra base de datos para enviar el nuevo catálogo a nuestros clientes...
● Mmm...
● ... y queríamos confirmar su dirección.
● Sí.
● Es la Plaza Nueva, número 5, ¿verdad?
● Sí, sí.
● Perfecto. Se lo enviaremos pronto. Muchas gracias.
● A usted.
● Adiós.

2. > pista 7
● ¿Diga?
● Buenos días. ¿Con la señora Pinilla, por favor?
● Sí, yo misma.
● Mire, llamo de Libroplus, la editorial.
● ¡Ah! Sí.
● En nuestra base de datos figura su nombre y número de teléfono, pero no tenemos su dirección para enviarle nuestro nuevo catálogo. Desea recibirlo, ¿verdad?
● Sí, sí.
● Entonces... Mmm... ¿Su dirección?
● Calle Rosales, 95, primero derecha, 28014, Madrid.
● 28014 Madrid. Perfecto. Ya está, muchas gracias.
● A usted. Adiós.
● Adiós.

3. > pista 8
● Colegio de Arquitectos, ¿dígame?
● Hola, buenas tardes. Llamo de la editorial Libroplus.
● Sí.
● En nuestra base de datos ustedes figuran como clientes nuestros y queríamos enviarles nuestro nuevo catálogo y confirmar su dirección.
● Muy bien.
● ¿Siguen en el Paseo de Galicia, número 2?
● No, no, nos hemos cambiado al número 4. Paseo de Galicia, 4, tercero izquierda.
● Ah, muy bien. Pues dentro de unos días recibirán el catálogo.
● Muy bien, muchas gracias.
● A usted.
● Adiós.
● Adiós.

8. ¿Tú o usted?
1. En una residencia de estudiantes > pista 9
● Mira, María. Este es un amigo de mi pueblo.
● ¡Hola!
● ¡Hola! ¿Qué tal?
● ¿Cómo te llamas?
● Ramón.
● ¿Vives aquí también?
● Sí, es mi primer año.
● ¿Y qué estudias?
● Periodismo.
● ¡Ah, sí? Pues yo tengo un amigo que también está estudiando Periodismo.

2. En la oficina de empleo > pista 10
● ¿Trabaja usted en la actualidad?
● No, ya no.
● ¿Y dónde vive?
● En Alberto Aguilera, número 5.
● Mmm... Entonces le corresponde esta oficina. ¿Me dice cómo se llama?
● Lourdes Ortiz.
● Y... ¿cuántos años tiene?
● 49.

3. En una óptica > pista 11
- Entonces te hacemos este modelo de gafas, ¿no?
- Sí, sí, este.
- Vale, pues voy a coger tus datos. A ver... ¿Cómo te llamas?
- Luis Barreira.
- ¿Y dónde vives?
- En la calle Burgos, 36, primero A.
- ¿Y tu número de teléfono?
- Sí. 972 46 10 39.
- Pues muy bien. El martes las tienes.
- Vale, perfecto. Hasta luego, gracias.
- A ti. Hasta luego.

9. Nombre, apellidos y dirección > pista 12
- Cámara de Comercio, ¿dígame?
- Hola, buenos días. Mire, necesito información sobre las empresas italianas que hay en Barcelona. ¿Podría enviarme una lista?
- Bien, se la preparamos y se la mandamos. ¿Cuál es su nombre?
- Ramón.
- ¿Y sus apellidos?
- Cano Santos. Ramón Cano Santos.
- Muy bien. ¿Y dónde vive?
- En la calle Mallorca.
- Calle Mallorca... ¿En qué número?
- En el 45.
- En Barcelona, ¿no?
- Sí, en Barcelona.
- ¿Y el código postal?
- 08080.
- Mmm... ¿Me da también su teléfono, por favor?
- Sí, es el 93 568 30 31.
- Muy bien, en unos días lo recibirá.
- Gracias.
- Adiós.
- Adiós.

UNIDAD 3

2. Números y cifras > pista 13
1.
- Oye, despacio, que la velocidad máxima es de 30.
- Ya lo sé, ya lo sé...

2.
Y por la calle número nueve, el corredor Florencio Saez, de España.

3.
- ¿Cuál es su habitación, por favor?
- La 911.
- Muy bien. Ahora mismo le subimos el desayuno.

4.
- Entonces, el billete lila es el de 500 euros, ¿no?
- Sí.

5.
- Buenos días.
- Buenos días. Quería una caja de Gelocatil 650, por favor.

6.
- ¿Sabes la dirección del despacho de arquitectos?
- Sí, es la calle Mallorca, número 214.
- Ah, vale. ¡Gracias!

7.
- ¿Cuánto es en total?
- A ver... 525 euros.
- ¿Con el descuento?
- Sí, sí.

8.
- ¿Cuántos kilómetros faltan para Barcelona?
- Pues mira, 840.
- ¿840?

4. Empresas > pista 14
1.
- ¿Dónde trabajas?
- En Gursa.
- ¿Gursa? ¿Qué es?
- Es una compañía de seguros.
- ¿Española?
- Sí.

2.
- Y tú, ¿qué haces?
- Yo trabajo en una consultoría.
- ¿Y cómo se llama?
- Montelera. ¿La conoces?
- Sí, ya lo creo. Es italiana, ¿verdad?
- Exacto.

3.
- Oye, ¿Damsum es francesa?
- No, es holandesa. Es la empresa de alimentación más importante de Holanda.
- ¡Ah! Vale.

4.
- ¿Cómo se llama tu empresa?
- Pereira Irmãos.
- Es portuguesa, ¿no?
- No, brasileña. Es una cadena de tiendas de moda.

5.
- José Luis, trabajas en un banco, ¿verdad?
- Sí, en el Yen Bank.
- Es japonés, ¿no?
- Sí.

6.
- ¿Y usted dónde trabaja?
- Yo en un banco alemán.
- ¿En el Deutsche Bank?
- No, no. En el Von Guten.

9. ¿Qué es? ¿Dónde está?
1. > pista 15
Sanitax, próxima inauguración el día 5 en Barcelona. Sanitax, el hospital en que miles de españoles ya confían.

2. > pista 16
- Podríamos salir a comer, ¿no?
- Sí. ¿Vamos a Ñam's?
- ¿Ñam's?
- ¿No lo conoces? Es un restaurante que está en la calle Sierpes. Está muy bien.

3. > pista 17
- ¿Y tú qué haces?
- Estudio Marketing.
- ¿Ah, sí? ¿Dónde?
- En Masterplus, una escuela de negocios.
- ¿En Madrid?
- Sí, en el centro, muy cerca de Sol.

4. > pista 18
La Mode, la mayor cadena de tiendas de ropa de España, ya está de rebajas. La Mode, más de 200 tiendas en toda España.

5. > pista 19
En Supereco, tu supermercado de confianza, las ofertas no tienen precio. Supermercado Supereco. Estamos en la avenida de Castilla, 25.

UNIDAD 4

1. Mis prácticas en España
1. > pista 20
- Mira, mi clase de español.
- A ver.
- Mira, esta de aquí es Pepa, mi profesora. Muy simpática y muy buena profesora. Me gustaban mucho sus clases. Y esta, la japonesa, es Naoko, la más trabajadora de la clase.
- ¿Ah, sí?
- Sí, pero no hablaba mucho, era bastante tímida.
- Mmm...

2. > pista 21
- ¿Y aquí, en la playa? Esto es San Sebastián, ¿no?
- Sí, ¿lo conoces?
- Sí, es precioso.
- Fuimos un fin de semana, Marta, Héctor y yo.
- ¡Ah! Marta era tu...
- Sí, mi novia.
- ¡Vaya, vaya! Muy guapa, ¿no?
- Sí.
- ¿Y Héctor?
- Héctor es un amigo de Ecuador, es pintor, es una persona muy interesante.

3. > pista 22
- Mira, y esto es en Ikea... El de la izquierda es Ángel, mi jefe.
- Ah, sí. ¿Y qué tal con él?
- Muy bien, la verdad aprendí mucho con él. Es muy competente y muy profesional.
- Ah, pues, muy bien, ¿no?
- Sí. Y la otra es Virginia, la secretaria.
- Uy, parece muy joven.
- Sí. Tiene diecinueve años, pero es muy responsable.

2. Este es Erik
1. > pista 23
- Erik, mira, este es Antonio, un amigo mío.
- Hola.
- Hola, ¿qué tal?

2. > pista 24
- Mira, Erik, esta es Lola, una compañera de clase.
- ¿Qué tal?
- Hola.

3. > pista 25
- Erik, ven, te voy a presentar a mi jefe, el señor García. ¿Se puede?
- Sí, sí. Adelante.
- Señor García, le presento a Erik, el chico que viene a hacer las prácticas con nosotros.
- Encantado, Erik.
- Encantado.

4. > pista 26
- Mira, Erik, te voy a presentar a Susana López, mi profesora aquí en la facultad. ¡Susana!
- Ay, hola.
- Mira, te presento a Erik, un amigo de Suecia.
- Hola Susana, encantado.
- Hola. Mucho gusto.

4. Saludos y despedidas > pista 27
1.
- Hola Mónica. Buenos días. ¿Está Javier?
- Hola. Buenos días. Sí, está en su despacho.
2.
- Hola, buenos días.
- Hola, ¿qué tal?

3.
● Interdata, buenas tardes. ¿Dígame?
● Hola. Buenas tardes. ¿El Señor Márquez, por favor?

4.
● Buenas tardes.
● Adiós. Buenas tardes.

5.
● Hasta mañana.
● Hasta luego.

6.
● Adiós. Buenas noches.
● Buenas noches.

6. Reunión con el nuevo presidente > pista 28
● Buenos días a todos. Les presento a nuestro nuevo presidente, el señor Agustín Álvarez de Yraola.
● Hola, buenos días.
● Buenos días.
● Señor Álvarez, le presento al señor Higueras, nuestro director general.
● Encantado.
● Encantado.
● Y a su izquierda, Matilde Corral, la directora de Formación...
● Mucho gusto.
● Encantada.
● El señor Argumosa, que lleva el Departamento de Investigación y Desarrollo...
● Mucho gusto.
● Encantado.
● Felipe Gutiérrez dirige el Departamento de Ventas...
● Encantado.
● Mucho gusto.
● Y Arancha Solchaga, la jefa de Administración.
● Mucho gusto.
● Encantada.
● Muy bien, pues... encantado de conocerles a todos y espero que a partir de ahora...

10. Recepción en la Cámara de Comercio > pista 29
1.
● Ricardo, mira, te presento a Nuria Gómez, una compañera de trabajo.
● ¡Hola! ¿Qué tal?
● ¡Hola!

2.
● Mire, señor Olmos, le presento a la señora Dubois, la directora comercial de Michelin.
● Encantado.
● Encantada.

3.
● Señor González, le presento al nuevo director financiero de Canon, el señor Futura.
● Encantado, señor Futura.
● Encantado.

4.
● Mira Ernesto, este es Ramiro, el jefe de Ventas de Tecsa.
● ¡Hola! ¿Qué tal? ¿Cómo estás?
● ¡Hola!

11. ¡Encantado! > pista 30
1.
● Mira, este es Carlos, mi novio.
● Hola.

2.
● Te presento a la señora Verdía, la directora general.
● Encantada.

3.
● Esta es Consuelo, una compañera de trabajo.
● ¡Hola! ¿Qué tal?

12. ¿Conoces a...?
A. > pista 31
● ¿Conoce a la Sra. Michelli?
● N5o, no la conozco.
● Pues si quiere se la presento.
● Ah, pues sí. Muy bien.
● Sra. Michelli, le presento al Sr. Asensio.
● Encantada.
● Encantado.
● El Sr. Asensio trabaja en Ordenaplus, lleva el Departamento de Recursos Humanos.
● ¿Ah sí? ¿Aquí en La Coruña?
● Sí, en Juan Flórez.

1. > pista 32
● ¿Conoces a Luis?
● ¿Luis? No, no lo conozco.
● Pues ven, que te lo presento.
● Bueno.
● Mira, Luis. Este es Rainer, mi compañero de piso.
● Hola, ¿qué tal?
● Hola.
● Luis también es periodista.
● ¿Ah sí? ¿Y dónde trabajas?
● Pues ahora estoy en *El País*. ¿Y tú?

UNIDAD 5

3. Una empresa de diseño gráfico > pista 33
1.
● Oye Cristina, ¿me dejas la grapadora?
● Sí, sí, toma, pero tenés que ponerle grapas, que no tiene.

2.
● Enrique, ¿me pasarías la regla, por favor?
● Sí, toma. No la estoy usando.
● ¿Y las tijeras?
● Tampoco, ten.

3.
● Necesito sobres para enviar estas cartas.
● Sí, mira, los sobres están en mi cajón.

4.
● ¿Me pasas ese lápiz y esa goma?
● Un momentito... toma.

4. Cambio de oficina > pista 34
1.
● ¡Uf! ¡Qué lío! No encuentro nada. ¿Sabes dónde están las tijeras?
● Mira, ahí, en el cajón.

2.
● ¿Sabes dónde está el celo?
● Ahí, encima de esa caja.

3.
● Oye, ¿tienes sellos?
● Sí, mira, ahí, al lado de los sobres.

4.
● ¡Ahora no encuentro el rotulador!
● Ahí, delante del teléfono.
● ¿Delante del teléfono?
● Sí.

5.
● Grapadora, grapadora, necesito la grapadora.
● ¡Detrás del teléfono!

6.
● ¿Y ahora dónde he puesto la calculadora?
● Debajo de las hojas, hombre.

7. Un centro comercial > pista 35
● Hola, buenos días.
● Buenos días.
● Perdone. ¿Dónde está Vaqueros Tex, por favor?
● Vaqueros Tex... Sí, al lado de Pizzería Fabio.
● ¿Al lado de Pizzería Fabio?
● Sí, bueno, entre Pizzería Fabio y Mundo Viajes.
● Ah, vale, gracias. ¿Y Roco, una tienda de ropa y complementos?
● En el pasillo de la izquierda, al lado de BCN, una empresa de mensajería, y enfrente de Electrodomésticos Luxe y de Mundo Viajes.
● Ah, gracias. Ay, y estoy buscando también una zapatería...
● ¿Zapatolandia?
● Sí.
● Mmm... Eso está en el pasillo de la derecha, delante del Banco de Zaragoza y al lado de El Vegetariano.
● Ah, pues... pues muchas gracias. Ah, y otra cosa... Perdone, ¿eh? ¿El Hipermercado Descuento dónde queda?
● Al fondo, la entrada es por el pasillo de la derecha.
● Gracias, muchas gracias por todo.
● De nada. Adiós.

8. Servicios, productos y precios > pista 36
1.
● ¿Para abrir una cuenta, por favor?
● Sí, aquí mismo. ¿Tiene su pasaporte?

2.
● Quería enviar esta carta certificada.
● ¿Urgente?

3.
● ¿Tienen sobres?
● No, no tenemos.

4.
● Quería cambiar 300$.
● En euros, ¿no?

5.
● ¿Cuánto cuesta alquilar un BMW un fin de semana?
● ¿Qué modelo?

UNIDAD 6

1. Un buen hotel > pista 37
● Oye, ¿qué tal el hotel Rabada?
● Ah... Está muy bien. A mí me gusta mucho. Yo, cuando voy a Barcelona, voy allí.
● Ah, muy bien. Oye, ¿y está en el centro?
● Sí, está al lado de la Plaza Cataluña, donde se cogen los autobuses que van al aeropuerto, cerca del Paseo de Gracia.
● ¡Ah! Pues muy bien. ¿Y qué tal se come?
● ¡Uf! Se come muy bien. Tiene un buffet para el desayuno buenísimo, muy completo, con zumos, cosas dulces y saladas... ya verás.
● ¿Y es muy grande?
● Sí, es bastante grande. Tiene hasta un gimnasio.
● Ah, pues perfecto porque voy a pasar allí unos días.

- Es un hotel muy cómodo. Y además muy bonito, ya verás. ¡Ah! Y lo mejor es el servicio. Tiene un personal muy profesional.
- Pues me has convencido. Creo que voy a hacer la reserva hoy mismo.
- Ah, muy bien. Ya me contarás. Por cierto, está al lado de un restaurante japonés excelente.
- Pues perfecto porque me encanta la comida japonesa.

3. ¿Comprar o alquilar?
1. **> pista 38**
Creo que es mejor comprarla, mucho mejor.
Sí, comprarla, porque así la tienes para siempre.

2. **> pista 39**
¡Uf! Los alquileres son demasiado caros, pagas y pagas todos los meses y al final no tienes nada. Es mucho mejor comprar.

3. **> pista 40**
Yo prefiero comprar. Si se puede, es mejor comprar.

4. **> pista 41**
Para mí, es un poco diferente, ¿sabes? Por mi trabajo. Trabajo un año en Madrid, uno en Barcelona, otro en Valencia y, claro, no puedo tener tres pisos. Por eso, los alquilo. Pero bueno, mi situación es un poco especial.

5. **> pista 42**
Yo creo que es mucho mejor comprar, porque así tienes tu propia casa. El problema es que si no tenés dinero, como yo, no podés comprar y tenés que alquilar. Y si es con amigos es más barato, pero la verdad, lo que preferiría es comprar.

4. Busco piso
1. **> pista 43**
- ¿Diga?
- Buenos días, llamo por el anuncio del piso del Pilar.
- Ah, sí. Buenos días.
- Quería saber cuántos metros tiene.
- Pues mire, son 100 metros cuadrados, tiene tres dormitorios, un salón grande, dos baños y un trastero. Es exterior, tiene mucha luz...
- ¿Y está reformado?
- Sí, está reformado. Lo reformamos el año pasado.
- Ah, muy bien. ¿Y cuántos años tiene el edificio?
- Es una finca antigua, pero muy bonita y completamente restaurada. El piso es realmente muy bonito, con mucha luz y muy tranquilo.
- ¿Tiene balcón?
- Sí, tiene uno en el salón. No es muy grande, pero es muy bonito.
- ¿Y tiene calefacción?
- Sí, y también aire acondicionado.
- Ah, muy bien. ¿Y ascensor?
- No, ascensor no.
- ¿Y tiene garaje?
- No, tampoco.
- ¿Y el precio? ¿Cuánto cuesta?
- Son 350 000 euros, aunque si está interesado, podríamos hablarlo.
- Ah, vale. Bueno... pues... voy a pensarlo. Gracias. Si me interesa, le vuelvo a llamar para ir a verlo.
- De acuerdo. Adiós.
- Adiós.

2. **> pista 44**
- ¿Diga?
- Hola, buenos días. Llamo por el anuncio del piso del barrio de la Cruz.
- Ah, sí... un momento que busco la ficha. A ver... Sí... Es un piso exterior. No está reformado.
- No está reformado. Mmm... ¿Y qué piso es?
- Es un tercero.
- Ah. ¿Con ascensor?
- Sí, sí, sí, con ascensor.
- Oiga, y calefacción, ¿tiene calefacción?
- Sí, tiene calefacción en todo el piso.
- Bien, y... ¿aire acondicionado?
- No, no.
- Ah. ¿Tiene terraza?
- No, no tiene terraza pero tiene un balcón.
- Ajá. Mmm... ¿Y garaje?
- No, no tiene garaje.
- ¿Y qué precio tiene?
- 250 000 euros.
- 250 000 euros. Ah, vale. ¿Y cuándo puedo verlo?
- ¿Mañana por ejemplo?
- Perfecto.

UNIDAD 7

3. Teléfono
1. **> pista 45**
- Este es el contestador automático de Almatel. Nuestro horario de oficina es de ocho de la mañana a ocho y media de la tarde, de lunes a viernes. Si quiere dejar un mensaje, hágalo después de la señal, gracias.
- Eh... este es un mensaje para Marta Baralo. Soy Carlos Romero, de Adidas. Ya te llamaré.

2. **> pista 46**
- Almatel, ¿dígame?
- ¿Está el Sr. Álvarez, por favor?
- ¿De parte de quién?
- De Pilar García, de Simago.
- Un momento, por favor. (...)
- Sí, dígame Sra. García.
- ¡Hola, buenos días! Le llamaba para ver si podríamos confirmar...

3. **> pista 47**
teléfono comunicando

4. **> pista 48**
- Almatel. Buenos días, ¿dígame?
- Buenos días. Por favor, ¿la Srta. Sánchez?
- ¿De parte de quién?
- De Antonio López.
- Un momentito. (...) ¿Sr. López?
- ¿Sí?
- En este momento está ocupada. Si quiere dejarle algún recado...
- No, gracias, ya la llamaré más tarde.
- Muy bien.
- Hasta luego.
- Adiós.

5. **> pista 49**
- Almatel, ¿dígame?
- Buenas tardes. ¿El Sr. Montero, por favor?
- En este momento está reunido. ¿Quiere dejarle algún recado?
- Sí, por favor, dígale que ha llamado Juan Carlos de Coca Cola y que mañana tenemos una reunión.
- Sí, claro, yo se lo digo.
- Muy bien, gracias.
- De nada. Hasta luego.
- Hasta luego.

4. Citas de trabajo
1. **> pista 50**
- ¿Sí?
- Oye Marta, soy Antonio. Quería hablar contigo esta semana de tu contrato. ¿Qué te parece el jueves?
- Muy bien. ¿A qué hora?
- ¿Qué tal por la tarde? A las cinco, no... mejor a las cinco y media.
- De acuerdo.
- Hasta luego.
- Hasta luego.

2. **> pista 51**
- Sí, ¿dígame?
- Hola, buenos días. ¿Señor Gómez?
- Sí.
- Soy Antonio Gutiérrez. Quería hablar con usted de los últimos pedidos.
- Ah, muy bien.
- ¿Qué le parece si quedamos para comer el miércoles?
- ¿El miércoles? De acuerdo. ¿A las 2?
- Bien, a las 2. ¿Dónde siempre?
- De acuerdo.
- Muy bien, pues hasta el miércoles.
- Adiós.

3. **> pista 52**
- ¿Sí?
- ¿Lee?
- Dime.
- Hola, soy Antonio.
- Ah, hola, dime.
- Que tenemos que hablar de lo de El Corte Inglés.
- Sí, es verdad.
- ¿Qué tal te va el jueves por la mañana?
- Bien, estoy por aquí.
- Bueno, pues entonces... ¿te veo a las 10?
- De acuerdo, el jueves a las 10.
- Hasta luego.
- Adiós.

4. **> pista 53**
- Tejidos Iglesias, ¿dígame?
- Hola, buenos días. Con el señor Iglesias, ¿por favor?
- ¿De parte de quién, por favor?
- De Antonio Gutiérrez.
- Un segundo. (...)
- ¿Sí?
- Hola Raúl, soy Antonio.
- Hola, ¿qué tal?
- Bien, bien... Oye, mira, que tengo que hablar contigo de unas cosas. ¿Tienes tiempo esta semana?
- Pues, depende, ¿qué día?
- Mmm... ¿Qué tal el viernes?
- Sí, pero a partir de las 12.
- ¿Y qué te parece a las 12 y media?
- Muy bien, entonces el viernes a las 12 y media. ¿Me paso por tu oficina?
- Perfecto. Pues hasta entonces.
- Adiós.

5. **> pista 54**
- Contabilidad.
- ¿Sra. Llanos?
- Sí, diga.
- Sra. Llanos, soy Antonio. Oiga, me gustaría hablar con usted del balance de este mes.
- Muy bien. ¿Qué tal el viernes?
- Yo estoy libre por la tarde.
- Bueno, pues por la tarde. ¿A las 4?
- Muy bien. Entonces el viernes a las 4.
- Hasta luego.

5. Empresarios > pista 55

● Bienvenidos a una edición más de "Empresarios". Esta noche tenemos con nosotros a Amado Rico, uno de los empresarios más importantes de este país. Buenas noches, señor Rico.
● Buenas noches.
● Todo el mundo conoce su faceta de empresario: trabajador, constante, emprendedor, pero... ¿qué hace los fines de semana? ¿También trabaja?
● Pues sí, también trabajo. Todos los sábados tengo una reunión o una comida de negocios o algún asunto pendiente.
● Pero... ¿todos los sábados?
● Bueno, casi siempre.
● ¿Y después del trabajo?
● Normalmente voy al campo. Allí tengo una casita para estar con mi familia y descansar.
● ¿Y lo consigue?
● La verdad es que sí.
● ¿Y no hace deporte?
● Lo cierto es que soy poco deportista. Bueno, a veces, ya sabe, hay que jugar al golf con algún cliente.
● ¿Por las noches se queda en casa?
● Pues sí, casi siempre. A veces algún sábado, salimos con amigos a cenar, al teatro, a un concierto, bueno, a ver algún espectáculo, vamos.
● ¿Y el domingo por la mañana?
● Los domingos siempre me levanto tarde, no puedo evitarlo. Es el único día de la semana que puedo hacerlo.
● ¿Qué hace el resto del día?
● Nada, como ya le he dicho, con mi familia.

8. Quedar por teléfono

1. Félix y Agustín > pista 56

● ¿Sí?
● ¿Está Agustín?
● Sí, soy yo.
● Hola, soy Félix.
● Hola Félix. ¿Qué tal?
● Muy bien. ¿Y tú, qué tal?
● Bien, bien, gracias.
● Oye, quería quedar contigo para hablar de Almatel.
● Vale, y ¿cuándo podemos quedar?
● ¿Qué tal el martes?
● El martes no puedo. Es que tengo una reunión por la mañana y luego tenemos que presentar un proyecto.
● ¿Y el miércoles?
● El miércoles... ¿A qué hora?
● A partir de las cinco...
● ¿Qué tal a las cinco y media?
● De acuerdo.
● Muy bien. Entonces nos vemos el miércoles a las cinco y media.
● Exacto. Pues hasta el miércoles.
● Hasta luego.

2. El señor Cobos y la señora Sevilla > pista 57

● ¿Dígame?
● ¿Sr. Cobos?
● Sí, soy yo.
● Soy Concha Sevilla.
● Sí, ¿dígame?
● Mire, quería hablar con usted del asunto de Cepsa.
● Muy bien. ¿Y cuándo podemos vernos?
● ¿Qué tal el viernes?
● Lo siento mucho, pero el viernes no puedo. Es que tengo varias reuniones y además tengo que comer con el director.

● ¿Y qué tal el jueves?
● El jueves... ¿Por la mañana?
● No, mejor por la tarde.
● De acuerdo. ¿Qué tal a las cinco?
● Muy bien.
● Entonces, nos vemos el jueves a las cinco.
● Sí. ¿Y dónde? ¿En su despacho?
● Sí, de acuerdo. Pues hasta el jueves.
● Hasta entonces, adiós.
● Adiós.

UNIDAD 8

1. Invitaciones

1. > pista 58

● Hombre, Ramiro, ¿qué tal?
● Jaime, ¿cómo te va?
● Muy bien. Oye... ¿Te apetece tomar algo?
● Estupendo. Venga, vamos.

2. > pista 59

● Entonces estamos de acuerdo, ¿no?
● Sí, sí.
● ¿Y si comemos juntos para celebrarlo?
● Perfecto.

3. > pista 60

● El señor Ibarra le atenderá en unos minutos.
● De acuerdo.
● ¿Le apetece un café?
● No, gracias.

4. > pista 61

● Podríamos quedar el sábado por la tarde, ¿no?
● Lo siento, es que los sábados no puedo. Tiene que ser entre semana.
● ¿Y por qué no cenamos juntos, el lunes por ejemplo?
● Los lunes, tampoco puedo. Ceno con mi madre.

5. > pista 62

● Hola Marta, ¿qué tal? ¡Cuánto tiempo sin verte!
● Hola Fran, ¿cómo estás? Tenía muchas ganas de verte. ¿Tomamos un café?
● Sí, vale, perfecto.

6. > pista 63

● ¿Desayunamos juntos y hablamos?
● Lo siento Ramón, pero es que ya he quedado.

3. Una cena de negocios > pista 64

● Oye.
● Dime.
● Mira, que resulta que mañana tengo que llevar a un futuro cliente a cenar y seleccioné estos restaurantes. Puedes mirarlos, a ver qué te parecen. A ver si me puedes recomendar alguno.
● A ver, a ver cuáles tienes... Ah, La Alpujarra, este lo conozco.
● ¿Sí?
● Sí, es un restaurante típico andaluz.
● ¿Y qué tal?
● Muy bien. Tienen unos pescaditos buenísimos. ¡Ah! Y una carta de vinos espectacular: blancos andaluces, tintos de La Rioja y Ribera del Duero...
● Ah, pues ¡qué bien!
● Seguro que os gusta.
● Ah, órale.
● Ay, hay uno que está muy bien. Tienen unas ensaladas buenísimas. No recuerdo el nombre... Está en la Gran Vía. Espera...
● A lo mejor está aquí.
● Sí, mira, es este, Vía 59. Un sitio muy moderno,

de diseño. Y es muy curioso porque siempre hay alguna exposición. Yo fui una vez con un cliente y le gustó muchísimo. Te lo recomiendo.
● Ah, pues, puede que esté bien.

7. Un regalo > pista 65

● Eh, eh.
● ¿Qué? ¿Qué pasa?
● Que mañana es el cumpleaños de Mónica y de Joaquín.
● ¡Vaya! ¿De los dos?
● Sí, sí. Y tendremos que comprarles algo, ¿no? Porque si no...
● Sí, pero ¿qué les compramos?
● Mmm... No sé... ¿Y si le compramos a Mónica algo de ropa?
● Ya, pero Mónica tiene mucha ropa y... no sé.
● No y además... Es que es personal.
● Claro.
● Sí, es verdad. ¿Y por qué no le compramos una colonia?
● No sé, una colonia... ¿Tú sabes qué colonia le gusta?
● ¿Y si le regalamos una agenda?
● No, una agenda ya tiene.
● Pero, ¿y si le compramos una de esas electrónicas?
● Ya lo sé, unos pendientes.
● ¡Ay, sí! ¡Unos pendientes! El otro día vimos en la joyería de al lado unos que le encantaron.
● Oye, pues mira, ya está: unos pendientes.
● De acuerdo.
● Perfecto.
● Oye. ¿Y a Joaquín?
● A Joaquín... ¿Y si le compramos una corbata?
● Uy, una corbata no. ¡No le pega nada! ¿Y un libro de Stephen King?
● ¡Ah! ¡Qué horror!
● Además, creo que ese autor no le gusta. ¡Ya sé! ¡Una pluma!
● Sí. Creo que solo tiene bolígrafos y estaba pensando en comprar una.
● Bueno, pues ya está. Una pluma para Joaquín y unos pendientes para Mónica.
● De acuerdo.
● Perfecto.

8. En el restaurante > pista 66

● ¿Mesa para dos?
● Sí, por favor.
● Pues, pueden sentarse aquí.
● Vale.
● ¿Tú qué vas a tomar?
● Pues, yo, de primero... la ensalada variada.
● A ver... la ensalada lleva huevo. Pues yo me tomaré una sopa de pescado, es que soy alérgico a los huevos. Y de segundo, el bistec. ¿Y tú, de segundo?
● Pues yo no sé qué pedir de segundo.
● ¿Ya saben qué van a comer?
● Sí. Yo, de primero, quiero la ensalada variada. De segundo no, no sé... ¿Hay algún segundo sin carne ni pescado?
● No, lo siento, pero si le apetece, puede pedir otro primero del menú.
● ¿Otro primero? A ver, déjeme mirar la carta otra vez. La sopa, no. Unas espinacas con patatas.
● Si quiere, le preparamos algo especial, una tortilla o...
● No, no hace falta, gracias. Las espinacas me van bien.
● Entonces las espinacas de segundo. ¿Y usted?
● Yo quiero de primero la sopa y de segundo el bistec con patatas.

● ¿Y para beber?

● ¿Vino?

● No, no, yo agua.

● Bueno, pues para mí vino.

● Y postre, ¿van a tomar?

● ¿Qué hay?

● Tenemos flan con nata, peras al vino, mousse de chocolate, helado y macedonia de frutas.

● Yo, peras al vino.

● Y un flan con nata para mí.

● Muy bien.

UNIDAD 9

1. Publicidad

1. **> pista 67**

● Oye, este móvil es nuevo, ¿no?

● Pues sí, es que estaba harta del otro.

● A ver, déjamelo. ¡Ala, qué color más guay!, ¿no?

● Sí, es que puedes escoger entre varios colores, y a mí me gusta el rojo cereza. Además, puedo grabar vídeos y consultar mi e-mail.

● ¿En serio? ¿Puedes conectarte a Internet?

● Sí, sí, creo incluso que puedes oír la radio.

● Pues qué bien.

2. **> pista 68**

● Ya tengo coche nuevo.

● ¿Ah sí? ¿Y cuál te has comprado al final?

● El Lencia Z.

● ¿Y de qué color te lo has comprado?

● Amarillo, pero es un amarillo especial, amarillo limón.

● ¡Huy! Amarillo limón. ¡Qué raro! ¿No?

● Bueno, a mí me gusta.

● No, lo que quiero decir es que nunca he visto un coche de ese color...

● Sí, es que Lencia está sacando otros colores, más alegres, diferentes...

● ¡Ah!

3. **> pista 69**

● ¿Has hablado ya con los de la nueva operadora de telefonía?

● Pues no, todavía no.

● Pues deberías llamar porque ahora tienen una oferta muy buena y sería una pena perderla.

● Sí, tienes razón, creo que se puede ahorrar hasta un 75% en las llamadas entre móviles de la misma empresa.

● Exacto. ¿Tienes el número de información, verdad?

● Sí, sí. Ahora mismo llamo, descuida...

2. Proyectos de empresa

1. En Wolswagen **> pista 70**

● ¡Hola Rafa! ¿Qué tal?

● Pues, ya ves, aquí...

● Mucho trabajo, ¿no?

● Sí, es que estamos diseñando el nuevo modelo, el 430.

● ¿Y cómo lo lleváis?

● Bien, está quedando muy bien.

● Entonces, ¿no tienes un rato para bajar a tomar un café?

● Sí, sí, bajo contigo, si no nos queda mucho, ya estamos acabando.

● Y tú, Pedro, ¿te vienes?

● Es que estoy terminando la presentación del 303, el coche familiar. ¿Vais al Café Galdós?

● Sí.

● Bueno, pues yo, si puedo, bajo más tarde.

● Pues hasta ahora.

● Hasta ahora.

2. En Almatel **> pista 71**

Señores, podemos estar satisfechos con los resultados. Como pueden ver en el gráfico, estamos vendiendo un 15% más que el año pasado y estamos produciendo una media de 180 000 teléfonos móviles al año. Además, el Departamento de Investigación está desarrollando un proyecto de telecomunicaciones financiado por la Unión Europea que nos puede beneficiar mucho.

3. En Reflon **> pista 72**

● ¿Sí? ¿Dígame?

● Rosa, soy Mónica. ¿Cómo estás?

● Hola Mónica. Pues mira, ahora mismo estoy muy liada.

● ¿Por qué? ¿Qué te pasa?

● Es que vamos a abrir una nueva fábrica en verano y estamos ampliando la plantilla.

● Entonces la empresa va bien, ¿no?

● En este momento, sí. Ahora mismo estoy entrevistando a gente para el Departamento de Publicidad. Estamos organizando la campaña de primavera y ya sabes... Oye, te llamo luego, ¿vale?

● De acuerdo.

● Es que tengo a gente esperando y...

● Sí, sí, no te preocupes.

3. Planes para el futuro

1. **> pista 73**

● La Feria de electrónica, ¿cuándo va a ser?

● Del 9 al 15 de mayo. El 8 tenemos que coger el avión para México.

● ¿Y por qué van a la de México? ¿No está más cerca Lisboa?

● Es que en Europa ya tenemos clientes y queremos presentar nuestra empresa en el mercado americano.

2. **> pista 74**

● Estoy harta del ordenador este, cada vez es más lento.

● Paciencia... me han dicho que en febrero vamos a comprar los nuevos.

● ¿Sí? ¿Ya es seguro?

● Sí, en IBN. Por lo visto tienen ofertas muy buenas.

● ¡Qué bien!

● Sí, ya era hora.

3. **> pista 75**

● Oye, ¿cuándo va a ser el próximo curso de formación?

● Del 3 al 17 de julio. Es para vendedores, tenemos ocho personas nuevas que necesitan más formación.

● ¿Y ya se sabe dónde va a ser?

● En Barcelona, creo.

4. **> pista 76**

● Me comentaron que algunos trabajadores van a hacer un curso de inglés comercial en Londres.

● Sí, este verano. Parece que quieren mejorar el nivel de inglés del Departamento de Exportación.

● Pero, ¿sabes de qué se trata? ¿Es uno de estos cursos de inglés de los negocios?

● Sí, algo así.

● A mí también me interesa, entonces.

5. **> pista 77**

● Oye, ¿vamos a abrir una sucursal en Tenerife?

● Sí, vamos a alquilar una oficina en abril.

● ¿Y eso?

● Pues porque parece que allí hay muy poca competencia.

● ¡Ah!

6. **> pista 78**

● Oye, ¿sabes lo que me han dicho?

● ¿Qué?

● Pues que vamos a cambiar los coches de la empresa el próximo otoño.

● ¡Qué bien! Ya era hora.

● Pues sí, la verdad. Es que los coches que tenemos ahora están muy viejos.

● ¿Y los vamos a comprar en Aubi?

● Sí, sí. En la fábrica Aubi de Zaragoza.

8. Espionaje industrial **> pista 79**

● Señores, el motivo de esta reunión es informarles de que Pipse ya está haciendo la nueva bebida con gas.

● ¿Pero no era para el próximo verano?

● En principio sí, pero hemos cambiado de idea y vamos a empezar el lanzamiento la próxima primavera.

● ¿Y cómo se va a llamar?

● "Pipse Pasión". Y va a tener un color muy especial: verde clorofila.

● ¡Anda! ¡Como los chicles!

● Sí, pero más refrescante. Estamos pensando en un público joven y por eso vamos a hacer una promoción fuerte en discotecas, universidades...

● Entonces, no será muy cara, ¿no?

● No, en principio vamos a ponerle un precio de lanzamiento de 1 euro. De momento, la vamos a distribuir solo en Europa.

● ¿Y dónde vamos a poner la publicidad?

● En televisión y en radio.

● Oye. ¿Y la botella? ¿Ya está diseñada?

● No va a tener botella, solo va a salir en lata. Estamos trabajando ahora en su diseño. ¡Va a ser un éxito!

UNIDAD 10

3. Claves del éxito **> pista 80**

● Este año una empresa española de moda ha sido noticia en los mercados financieros por su inesperado éxito. Sus ventas se han triplicado, sus beneficios han superado todas las expectativas y el valor de sus acciones en el mercado ha aumentado un 150%. Se trata de Nova+, empresa dirigida por una de las mujeres más excepcionales de este país, Marta Ventas, que hoy nos acompaña. Buenas noches, Marta.

● Hola, buenas noches.

● Marta, ¿cómo una mujer como tú, en poco menos de 5 años consigue poner en marcha una empresa y hacer de ella uno de los valores más rentables del mercado? ¿Dónde está la clave del éxito?

● Bueno, no creo que haya una clave, ¿no? Para mí, es una cuestión de saber combinar varios factores.

● ¿Por ejemplo?

● Pues mira, yo creo que lo primero que hay que tener en cuenta es el mercado, hay que conocer muy bien a los consumidores. Después, por supuesto, hay que hacer una buena campaña de marketing. La gente tiene que quedarse con una buena imagen de la empresa y para eso es fundamental un buen marketing.

● Ajá. Entonces, ¿tú crees que conocer el mercado e invertir en una campaña de marketing asegura el éxito?

- Sí, pero a todo eso hay que añadir un buen equipo de profesionales. Sin ellos poco se puede conseguir y en Nova+ tenemos una plantilla fantástica.

4. La agenda de hoy > pista 81
- Editorial Espriu, ¿dígame?
- Hola Mila, ¿qué tal? Te llamo para saber cómo va todo.
- Hola. Pues mira aquí... muy liada, con mucho trabajo. ¿Te acuerdas de aquellos números de teléfono que tengo que meter en la base de datos?
- Sí, sí, los del último mailing.
- Pues todavía no he podido. No sé qué pasa con el ordenador, pero últimamente no funciona nada bien.
- Entonces tampoco has podido enviar el correo electrónico a Klett, ¿verdad?
- No, tampoco, pero intentaré hacerlo esta tarde si me deja el ordenador.
- Vale, vale.
- ¡Ah! Otra cosa. Ya he hablado con Javier Marías, que... se viene a Frankfurt con nosotros.
- Muy bien. Por cierto, ¿cómo va lo del viaje a Frankfurt?
- Ya lo he organizado todo, no te preocupes. ¡Ah! Y ya he preparado la reunión de administración del jueves.
- ¿Y el informe sobre Líber?
- Ay... Todavía no lo he terminado.
- Bueno, pero lo tendrás listo para el jueves, ¿no?
- Sí, sí, es que no he tenido tiempo. He perdido casi toda la mañana con las gestiones del banco y después en Correos.
- Ah. ¿Y ya ha llegado el paquete?
- Sí, lo tienes en tu despacho.
- Muy bien, gracias.
- Por cierto, todavía no tengo profesor de ruso para el Sr. Sanchís.
- ¿Has llamado a Idiomas Gorki?
- Sí, pero no me cogen el teléfono.
- Tranquila, no hay prisa. Bueno, te dejo, pero te llamo más tarde, ¿de acuerdo?
- Vale.
- ¡Ah! Se me olvidaba. ¿Has llamado a Casa Leopoldo para reservar mesa para esta noche?
- No, es que no abren hasta más tarde. Llamaré antes de salir, no te preocupes...
- Gracias Mila. Venga, hasta luego.
- Hasta luego.

7. ¿Qué tal el día? > pista 82
- Uf, qué mala cara tienes. Pareces muy cansada.
- Estoy muerta. Es que he trabajado demasiado. He tenido un día horrible. He discutido con el jefe. Es que a veces me pone de los nervios.
- ¿Pero qué ha pasado? ¿Por qué has discutido con él?
- Mira, es igual. No quiero hablar sobre el tema. Y tú, ¿qué tal?
- Yo, bien.
- ¿Bien?
- Sí. El jefe me ha invitado a comer a una marisquería y... ¿sabes qué?
- ¿Qué?
- Que me han subido el sueldo.
- ¡Qué bien! Te han subido el sueldo... ¿Y eso?
- Es que han aprobado mi proyecto para el aeropuerto y, claro, el jefe, contentísimo. Hasta me ha felicitado.
- Me alegro mucho por ti Roberto... Oye, me muero de hambre.

- Túmbate en el sofá, que yo preparo la cena.
- Gracias, es que hoy no he tenido tiempo ni para comer.

UNIDAD 11

1. Vacaciones en Tenerife > pista 83
- Viajes Marisol, buenos días, ¿dígame?
- Buenos días. Llamo por la oferta del viaje a Tenerife.
- Ah, sí.
- Quería hacer una reserva...
- Para Tenerife... ¿Qué días?
- La ida para el lunes día 1, y la vuelta para el 7.
- ¡Uf! Para el lunes día 1 no hay nada. Ya está todo completo.
- Vaya, hombre.
- Pero puedo mirar si hay algo para el miércoles 3, si quiere.
- Vaya, bueno, pues entonces la salida el miércoles 3, si hay plazas...
- Pues un momento... a ver si hay más suerte... Para el miércoles 3, sí, parece que vamos a tener suerte.
- Preferiría un vuelo por la mañana... si fuera posible...
- Pues sí, sí, tenemos un vuelo con Air España a las 11:45. ¿Y la vuelta, para cuándo?
- Pues si me voy el miércoles 3, puedo volver el miércoles siguiente.
- ¿El día 10, entonces?
- Sí, sí. ¿A qué hora sale el último?
- El miércoles, el último a las 19:30.
- Ah, vale, estupendo.
- Entonces tenemos la ida el miércoles 3 por la mañana a las 11:45 y la vuelta el miércoles 10 a las 19:30. Con la oferta de Air España serán 209 euros más 15 de tasas de aeropuerto, son 224 euros en total.
- ¿224 euros? Bueno, pues quería hacer ya la reserva.
- ¿Hacemos también la reserva para el hotel?
- Sí, sí, pero solo alojamiento y desayuno.
- ¿Habitación individual o doble?
- Individual.
- Vale, muy bien. ¿A nombre de quién?
- De Eduardo Vázquez.

2. Agencia de viajes Globo-Tour
1. > pista 84
- ¿Puede mirar qué precio tiene el billete a Manila, en primera?
- Sí. Dígame, ¿para qué fecha?
- Para el 23 o el 24 de diciembre.
- A Manila, el 23 de diciembre, primera clase... Lo siento señora, en este momento el ordenador no puede darme esa información, pero solo será un segundo.

2. > pista 85
- Hola buenos días.
- Hola. Mira, estas cartas son para Correos. ¿El paquete puedes entregarlo antes de las 12:00 h?
- ¿Antes de las 12? Pero si ya son las 12 menos 5.
- Bueno, si llegas un poco más tarde no pasa nada, pero inténtalo.

3. > pista 86
- Envíe un catálogo por correo electrónico a todos estos clientes.
- Muy bien. Ahora mismo.

- ¡Ah! Y llame a la central a ver qué pasa con las ofertas de los mayoristas.
- Sí, ahora mismo llamo.

4. > pista 87
- Viajes Globo-Tour, ¿dígame?
- Hola, buenos días. Quería confirmar la reserva de mi billete para Málaga.
- Su nombre, por favor.
- Fina Colomé.
- Es un billete para Málaga en el vuelo de mañana a las 5 de la tarde, ¿no?
- Exacto.
- Muy bien, entonces confirmamos su reserva. ¿Puede darme los datos de su tarjeta de crédito?
- Sí, sí, claro. La titular soy yo, Fina Colomé, y el número de tarjeta es el 5859 0800 5702 0010.
- Muy bien, pues ahora mismo le mandamos el billete.
- Gracias.

5. > pista 88
- Toma, Luis, dale esto a Gema.
- Vale.
- Gracias.

3. Transporte urgente > pista 89
- Transportes Urgentes S.A., ¿dígame?
- ¡Hola, Charo! Soy Diego. ¿Qué tal estáis?
- Hola Diego. Bien, muy bien. ¿Y tú, qué tal?
- Bueno... estoy cansadísimo. He tenido muchísimo trabajo todos estos días. Tengo ganas de llegar al hotel ya.
- Pues por aquí también tenemos mucho trabajo, pero todo va bien.
- Me alegro, me alegro. Oye, has recibido mi mensaje, ¿verdad?
- Sí, claro. Ya he hablado con Enrique Punzano, del Ministerio, y me ha dicho que no hay ningún problema y que podéis tener la reunión el martes 4 a las diez de la mañana.
- Estupendo. Oye, ¿y qué tal va el tema de los contratos?
- Ah, sí, he hablado con Pedro, del Departamento de Personal. Me ha preguntado cuándo comienza la campaña. Dice que no es necesario contratar a nadie antes de la promoción, pero que necesita saber algo pronto.
- Dile que la promoción empieza el mes que viene. Así que ya puede empezar a hacer los contratos.
- Muy bien, entonces le llamo ahora mismo y le digo que los contratos son urgentes.
- Perfecto. Por cierto, ¿has visto a Begoña?
- Sí, la he visto esta mañana. Me ha preguntado si necesitas para el viernes los programas de todos los cursos o solo de algunos. Dice que ha tenido mucho trabajo esta semana.
- Ya, ya lo sé. Dile que no, que todos no, pero que necesito los programas para los cursos de marketing.
- Entonces, solo para los cursos de marketing, muy bien.
- Muchas gracias, Charo. Ahora te dejo. Es que me están esperando ya. Te veo el viernes, ¿vale?
- Vale. Suerte con todo.
- A ti también. Hasta luego.
- Hasta luego.

5. Declaraciones del ministro > pista 90
- Buenos días, señor ministro.
- Hola, buenos días.
- Ante todo le queremos agradecer estos minutos

de su tiempo que nos va a dedicar para nuestro artículo en la revista *Hotel*.
● Gracias a vosotros.
● Si le parece, podemos empezar.
● Muy bien.
● Este mes se está debatiendo el proyecto para la conservación de las costas. ¿Qué va a suponer su aprobación?
● El gobierno está muy interesado en este proyecto porque, si se aprueba, supondrá una mejora considerable de nuestras playas: más bonitas, más limpias... lo que traerá un mayor número de turistas.
● Pero, a ver, nuestras playas ya son muy conocidas en Europa. ¿Está pensando en otro mercado?
● Sí, estamos realizando ahora mismo una campaña en Japón. Si logramos el éxito esperado, la extenderemos a otros países asiáticos.
● Y, ¿no habrá problemas de ocupación hotelera?
● Si este año la ocupación hotelera es del 100%, estudiaremos la posibilidad de crear más plazas para el próximo año, vigilando siempre la calidad, claro.
● ¿Y cómo influirá en los precios?
● Intentaremos que la subida, si la hay, sea mínima.
● Sí, porque, si suben los precios, la inflación podrá alcanzar el 3%, ¿no, señor ministro?
● Sí, claro.
● Eh... Y cambiando de tema... ¿Se ha tomado alguna medida para solucionar el problema del *overbooking* en los vuelos chárter?
● El *overbooking* es un tema complejo, pero si continuamos con este problema, tendremos que sancionar a las compañías aéreas que lo practiquen.
● Y, ya, para terminar, señor ministro. Hoy se abre la temporada de esquí. Por lo visto hay nieve en toda la mitad norte.
● Sí, sí. Si este invierno nieva como el año pasado, la temporada será excelente.

8. Noticias
A. > pista 91
Buenas noches y bienvenidos al programa "Desaparecidos". Hoy empezamos con una noticia bomba. La famosa empresaria Alicia Coplovez, propietaria de la multinacional Coplovez S.A., ha desaparecido en circunstancias misteriosas de su domicilio de Málaga. Su marido, que como ustedes saben es el presidente de las empresas de Alicia, está desconcertado porque no entiende qué ha pasado. Por el momento no se tiene ningún tipo de información sobre la desaparición. Se especula sobre la posibilidad de un secuestro o incluso de un asesinato, pero pueden existir otras razones. Si cree haber visto a la empresaria o tiene alguna información que nos pueda ayudar a encontrarla, póngase en contacto con nuestro programa lo antes posible. Ya sabe, nuestro teléfono es el...

D. > pista 92
Hola querida. Soy Alicia, tu hermana. Como ves, estoy viva y muy feliz. No se te ocurra decirle a nadie que te he llamado. Esto es un secreto entre tú y yo. Estoy en una isla preciosa, aquí en el Caribe, pero no estoy con Ramón, ni con mi

marido. He decidido irme sola. Ahora soy libre y además tengo dinero. No pienso volver. Besos. Ciao, ciao.

Tarea > pista 93
Hola, soy Merche. Los de Bullmantur dicen que hay algunos cambios en sus ofertas.
Si los del Instituto Quijano quieren la oferta barata, la del Hotel Bratislava, tendrán que salir a las 8 en vez de a las 9:40, porque por lo visto hay un cambio de horarios. Con la otra oferta, la que cuesta 750 euros, no hay ningún problema con el vuelo, pero si quieren dormir en el Hotel Karlo, tendrán que dormir en una habitación doble, en camas separadas, claro.
Por lo visto hay un congreso internacional muy importante y no les quedan habitaciones individuales. En cualquier caso, me piden una confirmación lo antes posible. Dicen que les quedan pocas plazas. Bueno, pues, eso es todo.
Si necesitas alguna cosa, yo estaré en la oficina hasta tarde. Hasta luego...

UNIDAD 12

3. Proceso de selección
A. > pista 94
● Bueno, a ver...
● Pues, a ver... Los dos tienen un currículum muy parecido y muy bueno, también buena formación, mucha experiencia...
● Sí, es verdad, pero Hugo parece más trabajador, ¿no?
● Sí, parece muy dinámico, aunque Mercedes también da la impresión de ser una chica activa y muy creativa.
● Sí, es verdad.
● Además, tiene muy buena presencia y él no tanta.
● Ya, pero eso no es tan importante, ¿no?
● No, pero... no sé, me parece que Mercedes tiene un trato más agradable.
● Sí, puede ser.
● Lo que pasa es que Hugo parece más desorganizado. ¿Te acuerdas de lo que nos contó de su despacho?
● Uy, sí, sí.
● Y no sé... Además, dijo que no estaba dispuesto a trabajar ningún domingo.
● Uy sí, ya no me acordaba y Mercedes parecía muy flexible, la verdad... No le importaba su horario, ni tener que desplazarse.

C. > pista 95
● Yo creo que podemos darle a Mercedes la primera oportunidad.
● Venga, llamamos a Mercedes para ver si puede empezar el próximo lunes, ¿no?
● Muy bien. De acuerdo.

8. Hechos importantes de tu vida
> pista 96
● Mira, esta foto es de cuando nací. Aquí estoy con mi madre.
● ¡Ay, qué chiquitita! ¿De qué año sos vos?
● Del 70.
● Sos de La Rioja, ¿no?
● Pues sí. Viví allí hasta que empecé en la universidad, en 1988.
● ¿Y dónde estudiaste?
● En Barcelona. Quería hacer Biología Marina y como en Logroño no hay, me fui a Barcelona.

Mira, aquí estoy en la puerta de la facultad.
● Yo también quería estudiar Biología, ¿y qué tal?
● Muy bien, bueno, yo en esa época me lo pasé muy bien.
● ¡Qué envidia! ¿Y cuándo acabaste la carrera?
● En el 93, mira.
● ¿Y esta foto de la estación?
● Ah, sí... Aquí es cuando viajé por todo Europa con Inter-Rail. Esto fue un año después de acabar los estudios. Creo que tenía 24 años.
● ¿Qué tal fue el viaje?
● Pues muy divertido, pero pesadísimo. No sé en cuántos países estuve: Francia, Suiza, Italia, Austria, Alemania...
● Yo también lo hice... lo pasé tan bien... ¿Y este que está con vos en la foto es Juan?
● Sí, es Juan. Lo conocí el mismo año del Inter-Rail.
● Mmm...
● Mira, aquí tengo una foto de la boda.
● ¿Y cuándo se casaron?
● Tres años después de conocernos. En el 97.

9. Chupa Chups > pista 97
"Una historia muy dulce". Todo empezó en 1957, cuando Enric Bernat, fundador y presidente de Chupa Chups S.A., tuvo la idea del caramelo con palo para que los niños no se ensuciaran las manos. Al año siguiente, Chupa Chups nació en la fábrica de Asturias, en el norte de España, con siete sabores diferentes. En 1967 se abrió otra fábrica cerca de Barcelona y la primera filial fuera de España, en Perpignan (Francia). Dos años después, la empresa decidió hablar con Salvador Dalí, quien creó el famoso logotipo de Chupa Chups. En 1979 el número de chupa-chups vendidos alcanzó la cifra de 10 000 millones y nueve años más tarde la cifra fue doblada: 20 000 millones. Tras abrir fábricas en Japón, Estados Unidos, Alemania y otros países, Chupa Chups empezó su producción en Rusia, en el año 1991. Fue esta fábrica la que suministró los primeros chupa-chups consumidos en el espacio, enviados a la estación MIR a petición de los cosmonautas. En 1993, con 30 000 millones de chupa chups vendidos en todo el mundo, Enric Bernat hizo realidad su sueño: producir chupa-chups en China.
Al cabo de cuatro años, la empresa ganó el Premio a la Excelencia Empresarial reconociéndose así toda una labor dedicada a endulzarnos la vida.

Notas

Notas